Abréviations et symboles

Abréviations

adjectif	adj.	participe passé	p. p.
auxiliaire	aux.	participe présent	p. prés.
déterminant	dét.	personne	pers.
féminin	f.	phrase	P
groupe du nom	GN	pluriel	pl.
groupe du verbe	GV	pronom	pron.
masculin	m.	singulier	s.
nom	n.	verbe	v.

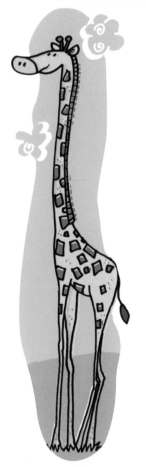

Symboles

	Renvoi à une annexe de la grammaire
	Emploi correct
	Emploi incorrect
	Article tiré du dictionnaire
	Enrichissement

Constituants obligatoires de la phrase

	Groupe sujet
	Groupe du verbe

GRAMMAIRE jeunesse

2e cycle du primaire

Myriam Laporte
Ginette Rochon

Avec la participation d'Henriette Major
pour les textes d'ouverture de chapitres.

LES ÉDITIONS CEC
QUEBECOR MEDIA

8101, boul. Métropolitain Est, Anjou (Québec) Canada H1J 1J9
Téléphone : (514) 351-6010 • Télécopieur : (514) 351-3534

Directrice de l'édition
Carole Lortie

Directrice de la production
Danielle Latendresse

Directrice de la coordination
Sylvie Richard

Chargée de projet (parties 1 à 8)
Mélanie Perreault

Chargé de projet (partie 9)
Patrice Ricard

Correctrices d'épreuves
Jacinthe Caron, Viviane Deraspe, Suzanne Cardin

Consultantes

Lynda Côté, enseignante de français,
école Jean-Baptiste-Meilleur,
commission scolaire des Affluents

Dominique Cardin,
consultante en éducation

Josée Carrier, enseignante au 2e cycle,
école Saint-Pie-X,
commission scolaire de la Capitale

Maryse Gélinas, enseignante au 2e cycle,
école de Pointe-du-Lac,
commission scolaire du Chemin-du-Roy

Conception et réalisation graphique

LE GROUPE
FLEXIDÉE
L T É E

Illustratrice
Christine Battuz

Les Éditions CEC inc. remercient le gouvernement du Québec de l'aide financière accordée à l'édition de cet ouvrage par l'entremise du Programme de crédit d'impôt pour l'édition de livres, administré par la SODEC.

© 2004, Les Éditions CEC inc.
8101, boul. Métropolitain Est, Anjou (Québec) H1J 1J9

Dépôt légal : 2e trimestre 2004
Bibliothèque nationale du Québec
Bibliothèque nationale du Canada

ISBN 2-7617-2181-0
ISBN 978-2-7617-2181-3

Imprimé au Canada
4   5   08   07

Table des matières

9e PARTIE

Annexes **148**

Quand et comment
dois-tu utiliser ta grammaire?

Ta *Grammaire Jeunesse* est un ouvrage de référence que tu consulteras souvent au cours de tes études primaires. La grammaire est très utile quand tu écris et corriges tes textes. Elle peut t'aider, par exemple, à savoir comment accorder un verbe ou comment construire une phrase interrogative. Les règles de la grammaire te fournissent les bases qui te permettent de t'exprimer plus facilement à l'oral comme à l'écrit.

Pour savoir où trouver les réponses à tes questions, consulte la table des matières (p. III à VIII) ou l'index (p. 272 à 277) de ta grammaire. Voici comment faire.

Par exemple, tu veux savoir à quel endroit dans ta grammaire on traite des synonymes.

Dans la **table des matières,** tu peux voir que les synonymes sont traités à la section 10.2 du chapitre 10.

À la fin de la table des matières, tu vois aussi qu'une annexe porte sur les synonymes.

Dans l'**index,** tous les mots-clés de la grammaire sont placés selon l'ordre alphabétique. Tu trouves *Synonymes* dans les mots qui commencent par la lettre *S.*

Comment ta grammaire est-elle structurée ?

Ta *Grammaire Jeunesse* compte neuf parties. Chaque partie a sa propre couleur.

Dans les chapitres 3 à 7, ce tableau t'indique comment repérer les classes de mots variables dans une phrase.

Les petites notes en bleu te donnent des astuces ou des précisions sur le texte.

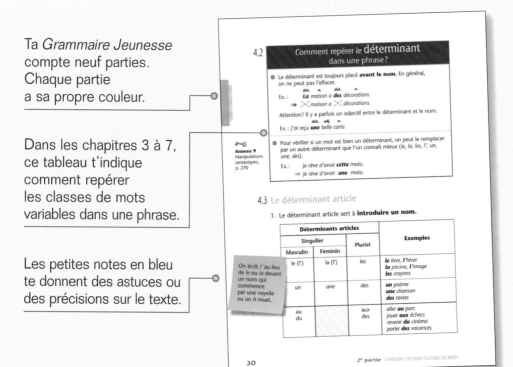

Les tableaux en jaune te présentent des règles de grammaire.

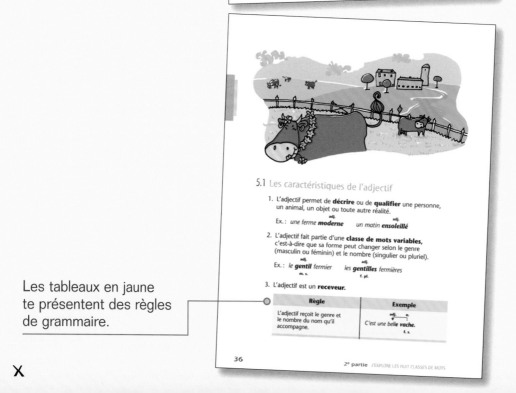

La clé t'invite à consulter l'une des 9 annexes qui se trouvent à la fin de ta grammaire.

Ce symbole t'indique que cette notion est un enrichissement.

Ce symbole te signale que c'est un article tiré du dictionnaire.

À la fin de chaque chapitre, le tableau **Je révise mon parcours...** te présente un résumé de la matière que tu viens de voir.

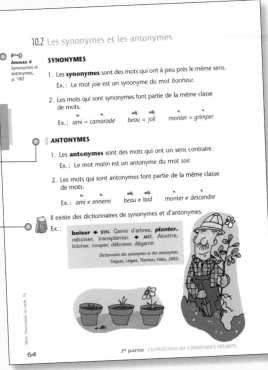

10.2 Les synonymes et les antonymes

Annexe 4
Synonymes et antonymes, p. 182

SYNONYMES

1. Les **synonymes** sont des mots qui ont à peu près le même sens.
   Ex. : Le mot *joie* est un synonyme du mot *bonheur*.

2. Les mots qui sont synonymes font partie de la même classe de mots.
   Ex. : *ami* = *camarade*   *beau* = *joli*   *monter* = *grimper*

ANTONYMES

1. Les **antonymes** sont des mots qui ont un sens contraire.
   Ex. : Le mot *matin* est un antonyme du mot *soir*.

2. Les mots qui sont antonymes font partie de la même classe de mots.
   Ex. : *ami* ≠ *ennemi*   *beau* ≠ *laid*   *monter* ≠ *descendre*

Il existe des dictionnaires de synonymes et d'antonymes.
Ex. :

boiser ◆ **SYN.** Garnir d'arbres, **planter**, reboiser, transplanter. ◆ **ANT.** Abattre, bûcher, couper, déboiser, dégarnir.

Dictionnaire des synonymes et des antonymes,
Dupuis, Légaré, Therrien, Fides, 2003.

64

3ᵉ partie J'APPROFONDIS MA CONNAISSANCE DES MOTS

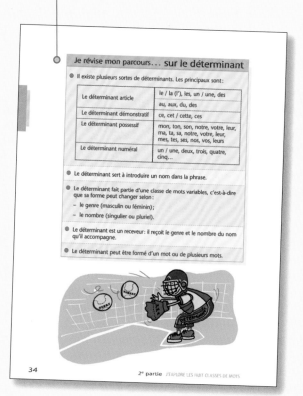

Je révise mon parcours... sur le déterminant

● Il existe plusieurs sortes de déterminants. Les principaux sont :

Le déterminant article	le / la (l'), les, un / une, des
	au, aux, du, des
Le déterminant démonstratif	ce, cet / cette, ces
Le déterminant possessif	mon, ton, son, notre, votre, leur, ma, ta, sa, notre, votre, leur, mes, tes, ses, nos, vos, leurs
Le déterminant numéral	un / une, deux, trois, quatre, cinq...

● Le déterminant sert à introduire un nom dans la phrase.

● Le déterminant fait partie d'une classe de mots variables, c'est-à-dire que sa forme peut changer selon :
   – le genre (masculin ou féminin) ;
   – le nombre (singulier ou pluriel).

● Le déterminant est un receveur : il reçoit le genre et le nombre du nom qu'il accompagne.

● Le déterminant peut être formé d'un mot ou de plusieurs mots.

34

2ᵉ partie J'EXPLORE LES HUIT CLASSES DE MOTS

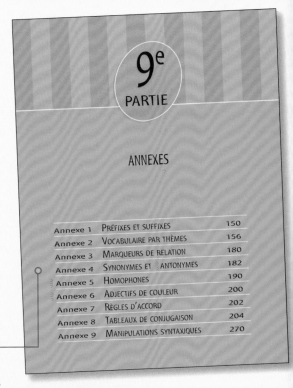

9ᵉ PARTIE

ANNEXES

La 9ᵉ partie de ta grammaire comprend 9 annexes pour t'aider en situation d'écriture.

XI

1re PARTIE

JE RECONNAIS LES SIGNES

Tu connais bien les signes qui servent à écrire le français : les 26 lettres de l'alphabet, les accents et les autres signes orthographiques, comme la cédille ou l'apostrophe.

Savais-tu que notre système d'écriture est très simple, si nous le comparons avec d'autres systèmes ? Par exemple, les Égyptiens utilisaient autrefois des signes appelés les hiéroglyphes. Ils devaient en connaître environ 700 pour lire et écrire !

CHAPITRE 1

Les lettres et les sons

Un son ne s'écrit pas toujours de la même façon. Dans le poème qui suit, observe les mots en gras. Tu verras qu'il y a différentes façons d'écrire le son [u], qui se prononce «ou».

Le **toutou** de M. Lanoue

C'était au mois d'**août**.
Lili promenait le **toutou**
de son voisin, M. **Lanoue**.
Tout à **coup**,
surgit un gros **matou**.
Pendant que, dans la **boue**,
le chat et le **toutou**
se battaient comme des **voyous**,
Lili a lancé un **tout** petit **caillou**
pour faire fuir le **matou**.

Texte d'Henriette Major

1.1 Les 26 lettres de l'alphabet

1. Pour lire et écrire le français, on se sert de **26 lettres.** C'est ce qu'on appelle l'alphabet. L'ordre alphabétique est le suivant :

   a b c d e f g h i j k l m n o p q r s t u v w x y z

2. Dans l'alphabet, il y a **6 voyelles** et **20 consonnes.**

Voyelles	Consonnes
a e i o u y	b c d f g h j k l m n p q r s t v w x z

3. On peut écrire les lettres de l'alphabet en **minuscules** ou en **majuscules.**

Minuscules	Majuscules
a b c d e f g h i j k l m n o p q r s t u v w x y z	A B C D E F G H I J K L M N O P Q R S T U V W X Y Z

Dans un dictionnaire, les mots sont écrits selon l'ordre alphabétique.

1.2 L'alphabet phonétique

1. Pour transcrire les sons des mots, on utilise les signes de l'alphabet phonétique. Ces signes sont notés entre crochets.

Sons des voyelles	Exemples
[a]	**à**, **ha**lte, p**a**rc, f**e**mme
[ɑ]	g**â**teau, lil**a**s
[ə]	ch**e**val, m**o**nsieur
[e]	**é**toile, appel**er**, n**ez**, **hé**risson, qu**ai**, pi**ed**
[ɛ]	plan**è**te, r**ê**ve, m**er**, **hai**e, sem**ai**ne, m**aî**tre, n**ei**ge
[i]	céler**i**, **î**le, nyl**o**n, **hi**bou, **hy**pothèse, ma**ï**s
[o]	m**o**t, c**ô**te, **hô**tesse, v**au**tour, **hau**t, bat**eau**
[ɔ]	**o**live, **ho**rloge, **hô**pital, m**au**vais, alb**u**m
[y]	r**ue**, b**û**che, **hu**main, tu as **eu**
[u]	cl**ou**, **où**, g**oû**ter, **hou**le
[ø]	j**eu**di, n**œu**d
[œ]	j**eu**ne, bon**heur**, b**œu**f
[ɑ̃]	p**an**talon, **han**che, c**am**pagne, t**en**te, déc**em**bre, p**aon**
[ɛ̃]	jard**in**, music**ien**, m**ain**, f**aim**, c**ein**ture, l**yn**x, t**im**bre
[ɔ̃]	mel**on**, **hon**teux, c**om**pote
[œ̃]	br**un**, parf**um**, **hum**ble

Sons des semi-voyelles	Exemples
[j]	soul**i**er, œ**il**, citrou**ille**, **y**oga
[w]	ki**w**i, **ou**i
[ɥ]	p**u**its, **hu**ile

Sons des consonnes	Exemples
[b]	**b**anane, a**bb**é
[k]	é**c**ole, a**cc**ord, **k**oala, **qu**i, co**q**, **ch**œur, a**cqu**érir
[d]	**d**ent, che**dd**ar
[f]	**f**ête, a**ff**reux, élé**ph**ant
[g]	**g**ant, a**gg**raver, **gu**itare, se**c**onde
[ʒ]	**j**our, **g**irafe, pi**ge**on
[l]	**l**ivre, a**ll**er
[m]	a**m**i, gra**mm**aire
[n]	**n**ote, a**nn**oncer
[p]	**p**oire, a**pp**orter
[ʀ]	**r**oue, a**rr**iver, **rh**ume
[s]	**s**ourire, gli**ss**er, **c**itron, le**ç**on, avia**t**ion, pi**sc**ine, di**x**
[t]	**t**ulipe, bo**tt**e, **th**éorie
[v]	**v**oiture, **w**agon
[z]	mai**s**on, **z**èbre, bli**zz**ard, di**x**ième
[ʃ]	**ch**anson, **sh**ampoing
[ɲ]	monta**gn**e
[ks]	e**x**trait, a**cc**ent, e**xc**ès
[gz]	e**x**emple

2. On appelle « **graphies** » les différentes façons d'écrire un même son.

   Ex. : Voici deux graphies du son [o] : **o** dans *vos* et **eau** dans *veau*.

1.3 Les syllabes

1. Un mot est composé d'**une** ou de **plusieurs syllabes.**

Beaucoup de mots n'ont pas le même nombre de syllabes à l'oral et à l'écrit.

Ex. : [pi – ʀat]
→ pi – ra – te

Nombre de syllabes	Exemples
Une	*pas*
Deux	*jeu – di*
Trois	*é – lé – phant*
Quatre	*do – mes – ti – que*
Cinq ou plus	*mé – sa – ven – tu – re*

2. Une syllabe est composée d'**une** ou de **plusieurs lettres** que l'on prononce d'un seul coup de voix. Chaque syllabe doit contenir au moins une voyelle.

3. Quand il faut couper un mot au bout d'une ligne, on le fait **entre deux syllabes.**

Ex. : *Vendredi, ma grand-mère et moi viendrons te **cher-cher** au début de la matinée pour aller au zoo.*

Connais-tu un mot de huit syllabes ? En voici un :

im – per – mé – a – bi – li – sa – tion.

Maintenant, tu peux chercher ce que cela veut dire !

Je révise mon parcours... sur les lettres et les sons

◎ En français, l'alphabet compte 26 lettres :

a b c d e f g h i j k l m n o p q r s t u v w x y z

◎ Dans l'alphabet, il y a :
  – 6 voyelles : a e i o u y
  – 20 consonnes : b c d f g h j k l m n p q r s t v w x z

◎ On peut écrire les lettres de l'alphabet en minuscules (a, b, c, d, e, f, g…) ou en majuscules (A, B, C, D, E, F, G…).

◎ Pour transcrire les sons des mots, on utilise l'alphabet phonétique.

◎ On appelle « graphies » les différentes façons d'écrire un même son.

◎ Un mot est composé d'une ou de plusieurs syllabes.

◎ Une syllabe est composée d'une ou de plusieurs lettres que l'on prononce d'un seul coup de voix. Chaque syllabe doit contenir au moins une voyelle.

◎ Quand il faut couper un mot au bout d'une ligne, on le fait entre deux syllabes.

CHAPITRE 2
Les accents et les autres signes orthographiques

Dans cet extrait de journal intime, remarque les signes orthographiques, par exemple l'accent aigu, l'accent grave et l'accent circonflexe.

21 septembre

Cher journal,

Aujourd'hui, c'est dimanche et il pleut. Tantôt, j'ai regardé des dessins animés à la télévision avec mon frère Joël. Après, je suis allée dans ma chambre et j'ai fini mes exercices de calcul. Maintenant, j'ai plutôt le goût de flâner. Je regarde par la fenêtre et, tout à coup, je vois un arc-en-ciel ! La pluie a cessé. Je n'ai qu'une envie : aller jouer dehors.

Texte d'Henriette Major

Accents et autres signes orthographiques	Signes	Exemples
L'accent aigu	´	*étui*
L'accent grave	`	*là, mère, où*
L'accent circonflexe	^	*château, fête, île, hôtel, mûr*
Le tréma	¨	*Noël, haïr*
La cédille	¸	*français, garçon, déçu*
L'apostrophe	'	*l'or, l'hiver*
Le trait d'union	-	*Marie-Hélène*

2.1 L'accent aigu

é Sur la voyelle **e**, l'accent aigu donne le son [e] comme dans *étoile*.

Ex.: *é*cole   *lé*gume   *mé*tal   *pré*nom

2.2 L'accent grave

è 1. Sur la voyelle **e**, l'accent grave donne le son [ɛ] comme dans *zèbre*.

Ex.: *p**è**re   *po**è**me   *r**è**gle   *tr**è**s*

à ù 2. L'accent grave se place sur les voyelles **a** et **u**, comme dans les mots **à**, **là**, *voil**à*** et **où**. Il sert parfois à distinguer des mots qui ont le même son ou presque.

Ex.: *à* et *a*   *là* et *la*   *où* et *ou*

Annexe 5
Homophones,
p. 190

2.3 L'accent circonflexe

ê 1. Sur la voyelle **e**, l'accent circonflexe donne le son [ɛ] comme dans *bête*.

Ex.: *arrêt*   *guêpe*   *être*   *tête*

â 2. Sur la voyelle **a**, l'accent circonflexe donne souvent le son [ɑ] comme dans *âne*.

Ex.: *âge*   *gâteau*   *pâté*   *râteau*

Sans accent circonflexe, la voyelle **a** peut se prononcer [a] comme dans *abeille* ou [ɑ] comme dans *bras*.

ô 3. Sur la voyelle **o**, l'accent circonflexe donne souvent le son [o] comme dans *tantôt*.

Ex.: *bientôt*   *côte*   *hôtel*   *nôtre*

Sans accent circonflexe, la voyelle **o** peut se prononcer [ɔ] comme dans *flotte* ou [o] comme dans *pot*.

î **û** 4. Avec ou sans accent circonflexe, les voyelles **i** et **u** donnent le même son.

Ex.: Le **i** de *lit* et le **î** de *île* donnent le son [i].

Le **u** de *ruse* et le **û** de *flûte* donnent le son [y].

5. Il ne faut pas oublier l'accent circonflexe dans certains verbes.

Ex.: Verbe *connaître* ➝ *elle connaît*

6. L'accent circonflexe est utile pour distinguer certains mots qui ont le même son.

Ex.: *J'ai mangé du bon raisin* **mûr**.

On a fait un trou dans le **mur**.

Annexe 8
Tableaux de conjugaison, p. 204

Annexe 5
Homophones, p. 190

Pour savoir si une lettre prend un accent dans un mot, consulte un dictionnaire.

2.4 Le tréma ë ï

Le tréma se place le plus souvent sur les voyelles *e* et *i*. Il indique que deux voyelles sont prononcées l'une après l'autre.

Ex. : *Joëlle (Jo – ëlle)*   *Michaël (Micha – ël)*   *Noël (No – ël)*

    Anaïs (Ana – ïs)   *haïr (ha – ïr)*   *maïs (ma – ïs)*

2.5 La cédille ça ço çu

1. La cédille se place sous le *c* devant les voyelles *a*, *o*, *u*.
   Elle donne le son [s] comme dans *balançoire*.

   Ex. : *ç*a   *Fran*çoise   *le*çon   *re*çu

2. Il ne faut pas oublier la cédille sous le *c* dans certains verbes.

   Ex. : Verbe *lancer* → *nous lan*çons

Annexe 8
Tableaux de
conjugaison,
p. 204

2.6 L'apostrophe

L'apostrophe remplace les voyelles **a**, **e** ou **i** à la fin de certains mots, quand le mot suivant commence par une **voyelle** ou par un **h muet.** On fait alors une élision.

Voici des mots qui peuvent s'élider.

On ne fait pas l'élision devant certains mots qui commencent par la lettre h.

Ex. : **le h**omard

Mots	À remplacer par...	Exemples
le	l'	**l'**igloo
la	l'	**l'**heure
je	j'	**j'**apprends
me	m'	il **m'**aime
te	t'	elle **t'**admire
se	s'	ils **s'**amusent
ce	c'	**c'**est
de	d'	**d'**accord
ne	n'	elle **n'**a pas
si	s'	**s'**il vous plaît
que	qu'	**qu'**on pêche

2.7 Le trait d'union -

Le trait d'union unit des mots pour **former un mot composé.**

Ex.: *après-midi   arc-en-ciel   ciné-parc   garde-robe*

Je révise mon parcours... sur les accents et les autres signes orthographiques

En français, il existe trois accents et quatre autres signes orthographiques:

◎ L'accent aigu   é

◎ L'accent grave   è   à   ù

◎ L'accent circonflexe   ê   â   ô   î   û

◎ Le tréma   ë   ï

◎ La cédille   ça   ço   çu

◎ L'apostrophe   '

Elle remplace les voyelles *a, e* ou *i* à la fin de certains mots, quand le mot suivant commence par une voyelle ou par un *h* muet.

◎ Le trait d'union   -

Il sert à unir des mots pour former un mot composé.

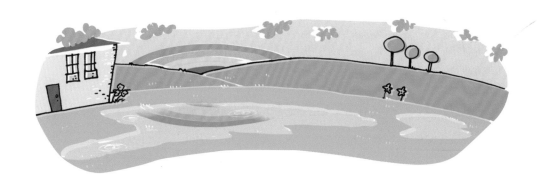

2e PARTIE

J'EXPLORE
LES HUIT CLASSES DE MOTS

Dans ton école, toutes les classes sont différentes. Les élèves n'ont pas le même âge, ils n'ont pas la même enseignante ou le même enseignant et ils n'apprennent pas les mêmes choses. C'est pareil pour les classes de mots.

En français, il existe huit classes de mots. Chaque classe a des caractéristiques qui lui sont propres. Par exemple, la classe du nom est différente de la classe du déterminant. Les classes de mots se divisent en deux catégories : les classes de mots variables et les classes de mots invariables.

Classes de mots							
Variables					Invariables		
Nom	Déterminant	Adjectif	Pronom	Verbe	Préposition	Adverbe	Conjonction

CHAPITRE 3

Le nom

Classes de mots								
Variables						Invariables		
Nom	Déterminant	Adjectif	Pronom	Verbe		Préposition	Adverbe	Conjonction

Observe tous les mots qui sont en gras dans le texte suivant.
Ce sont des noms.

> **Souvenirs** ensoleillés
>
> La première **fois** que j'ai pris l'**avion**, c'était pour aller en **vacances**
> au **Mexique**. Quel **plaisir** que de voler au-dessus des **nuages** !
> Quand, par le **hublot**, nous avons aperçu la **mer** et les **palmiers**,
> je me suis dit que je vivais ma première **aventure**.
>
> Une **fois** arrivés, nous sommes allés nous promener sur la **plage** pour
> admirer le **coucher** de **soleil**. J'ai ramassé des **coquillages** pour en
> rapporter à mon **amie Lili**. J'en ai aussi gardé pour moi. Je les ai placés
> sur une **étagère** dans ma **chambre**. Chaque **fois** que je les regarde,
> je pense à la **chaleur** et aux **odeurs** du **Mexique**.
>
> Texte d'Henriette Major

Comme tu peux le voir, les noms sont très utiles pour nommer
les personnes, les objets, les lieux, etc.

3.1 Les caractéristiques du nom

1. Il y a deux sortes de noms : le **nom commun** et le **nom propre.**

2. Le nom sert à désigner **différentes réalités** : des personnes et des personnages, des animaux, des objets, des lieux, des astres, des loisirs, des matières scolaires, etc.

3. Le nom fait partie d'une **classe de mots variables,** c'est-à-dire que sa forme peut changer selon le genre (masculin ou féminin) et le nombre (singulier ou pluriel).

   Ex. : *un **ami*** *une **amie*** *des **amis*** *des **amies***

   n.   n.   n.   n.

   m. s.   f. s.   m. pl.   f. pl.

4. Le nom est un **donneur.**

Règles	Exemples
Le nom donne son genre et son nombre au déterminant et à l'adjectif qui l'accompagnent.	dét. n. adj. *J'ai une **chatte** tigrée.* f. s.
Quand le nom est le noyau du GN sujet, il donne la 3e personne du singulier ou du pluriel au verbe.	GN n. v. *Le **palmier** fait de l'ombre.* 3e pers. s.

3.2 Comment repérer le **nom** dans une phrase ?

Le premier mot d'une phrase commence par une lettre majuscule, mais ce mot n'est pas nécessairement un nom propre.

◎ Le nom propre commence toujours par une **lettre majuscule**.

> Ex.: *Le **Mexique** est son pays préféré.*

◎ Le nom est souvent **précédé d'un déterminant**.

> dét.   n.   dét.   n.
> Ex.: *Le **Mexique** est son **pays** préféré.*

◎ Pour vérifier si un mot est bien un nom, on peut placer un déterminant (*le, la, les, un, une, des*) devant ce mot.

> Ex.:   *Elle parle toujours de **voyages.***
>
> ⟹ *un Elle*
>
> ⟹ *le parle*
>
> ⟹ *un toujours*
>
> ⟹ *le de*
>
> ⟹ *des voyages*

◎ Pour vérifier si un mot est bien un nom, on peut le remplacer par un autre nom que l'on connaît mieux.

> Ex.:   *Le **Mexique** est son **pays** préféré.*
>
> ⟹ *Le **patin** est son **sport** préféré.*

Annexe 9
Manipulations syntaxiques,
p. 270

3.3 Le nom commun

1. Le nom commun commence par une **lettre minuscule.**

2. Le nom commun sert à nommer une **réalité de façon générale.**

Réalités	Exemples
Personnes et personnages	*infirmier, grand-mère, ami, clown, sorcière*
Animaux	*lion, chien, oiseau, lézard*
Objets	*bicyclette, voiture, biscuit, ordinateur*
Lieux	*ville, parc, rue, pays, province*
Qualités et défauts	*bonté, courage, lâcheté, paresse*
Sports et loisirs	*marche, lecture, hockey, bricolage*
Matières scolaires	*français, mathématique, musique*
Autres réalités	*mercredi, peur, poème, victoire*

3. Le nom commun est le plus souvent **précédé d'un déterminant.**

    dét.   n.   dét.   n.

Ex. : *Un **avion** survole mon **quartier.***

Dans un dictionnaire, la classe est indiquée immédiatement après le mot.

Ex. :

— L'abréviation *n.* indique que ce mot est un nom.

avion n. m. Aéronef plus lourd que l'air équipé d'une surface courbée fixe et d'un moteur qui lui permettent de voler. *Nous avons regardé l'avion atterrir sur la piste.* […]

Dictionnaire CEC intermédiaire, 3e édition, 1999.

3.4 Le nom propre

1. Le nom propre commence par une **lettre majuscule.**

2. Le nom propre sert à nommer une **réalité qui est unique.**

Réalités	Exemples
Personnes et personnages	*Gilles Vigneault, Hercule, Cendrillon*
Animaux	*Princesse, Ti-Ti, Noiraud, Éclair*
Lieux	*Chambly, l'Ontario, le Brésil, le Saint-Laurent*
Populations	*les Québécois, les Canadiens, les Chinois*
Astres	*Saturne, Mars, la Terre, le Soleil*
Voies de circulation	*avenue du Parc, rue Ontario, boulevard Charest*
Établissements	*l'école Albatros, le casse-croûte Chez Gigi, l'aréna Maurice-Richard*
Autres réalités	*la chanson* Vive le vent, *le journal* Bon réveil

3. Dans certains cas, il n'y a pas de déterminant devant un nom propre. Dans d'autres cas, il y en a un.

           n.   **dét.** **n.**   **n.**

Ex.: ***Catherine*** *visitera la **France** avec son chien **Rex.***

3.5 Le genre du nom

1. Le nom varie généralement en **genre** (masculin ou féminin) lorsqu'il désigne une personne ou un animal.

Ex. :

Noms masculins →	Noms féminins
un **chanteur** →	une **chanteuse**
un **lion** →	une **lionne**
mon **chat** →	ma **chatte**

> Connaître le féminin d'un nom peut t'aider à trouver la lettre muette qui termine ce nom au masculin.
> Ex. : l'Alleman**de** → l'Alleman**d**

2. Le nom a **un seul genre** lorsqu'il désigne un objet, un lieu, un sentiment, un loisir, etc. Il est alors soit masculin, soit féminin.

Exemples de noms masculins	Exemples de noms féminins
un **avion**	une **table**
un **amour**	la **tristesse**
mon **parapluie**	la **couture**
son **bricolage**	ma **cachette**
le **judo**	la **natation**

 Dans un dictionnaire, le genre est indiqué immédiatement après la classe du mot.

Ex. :

> L'abréviation *m.* indique que ce nom est masculin.
>
> **avion** n. m. Aéronef plus lourd que l'air équipé d'une surface courbée fixe et d'un moteur qui lui permettent de voler. *Nous avons regardé l'avion atterrir sur la piste.* […]
>
> *Dictionnaire CEC intermédiaire*, 3e édition, 1999.

3.6 La formation du féminin des noms

Voici comment former le féminin d'un nom à partir du nom masculin.

Règle générale	Exemples	Exception
On forme le nom féminin en ajoutant un -e au nom masculin.	candidat ➤ candidate invité ➤ invitée président ➤ présidente cousin ➤ cousine	chat ➤ chatte

Règles particulières	Exemples	Exceptions
On ne fait aucun changement. -e ➤ -e	adulte ➤ adulte	tigre ➤ tigresse prince ➤ princesse
On double la consonne + -e. -en ➤ -enne -on ➤ -onne -et ➤ -ette	magicien ➤ magicienne champion ➤ championne cadet ➤ cadette	démon ➤ démone compagnon ➤ compagne dindon ➤ dinde
On change les dernières lettres du mot. -eau ➤ -elle	jumeau ➤ jumelle	
-er ➤ -ère	pompier ➤ pompière	

• • •

Il existe d'autres règles particulières. Tu les verras au 3e cycle.

Règles particulières	Exemples	Exceptions
-eur ➤ -euse	*jongl**eur*** ➤ *jongl**euse***	
-teur ➤ -trice -teuse	*lec**teur*** ➤ *lec**trice*** *domp**teur*** ➤ *domp**teuse***	*enchan**teur*** ➤ *enchan**teresse***
-f ➤ -ve **-p** ➤ -ve	*sporti**f*** ➤ *sporti**ve*** *lou**p*** ➤ *lou**ve***	
-x ➤ -se	*curieu**x*** ➤ *curieu**se*** *jalou**x*** ➤ *jalou**se***	*vieu**x*** ➤ *vi**eille*** *rou**x*** ➤ *r**ousse***
On change en partie la forme du mot.	*roi* ➤ **reine** *canard* ➤ **cane** *neveu* ➤ **nièce**	
On change complètement la forme du mot.	*homme* ➤ **femme** *monsieur* ➤ **madame** *papa* ➤ **maman** *taureau* ➤ **vache**	

3.7 Le nombre du nom

Le nom est **singulier** s'il désigne une seule réalité (personne, personnage, animal, lieu, etc.). Le nom est **pluriel** s'il désigne plusieurs réalités.

3.8 La formation du pluriel des noms

Voici comment former le pluriel d'un nom à partir du nom singulier.

Règle générale	Exemples	Exceptions
On forme le nom pluriel en ajoutant un -s au nom singulier.	matou → matous livre → livres maison → maisons détail → détails	bijoux, cailloux, choux, genoux, hiboux, joujoux, poux baux, coraux, émaux, travaux, vitraux…

Règles particulières	Exemples	Exceptions
On ne fait aucun changement. -s → -s -x → -x -z → -z	dos → dos noix → noix gaz → gaz	
On ajoute un -x. -au → -aux -eau → -eaux -eu → -eux	noyau → noyaux gâteau → gâteaux feu → feux	landaus, sarraus bleus, pneus, émeus
On change les dernières lettres du mot. -al → -aux	métal → métaux animal → animaux	bals, carnavals, festivals, chacals, récitals, rorquals…
On change en partie ou complètement la forme du mot.	madame → mesdames monsieur → messieurs œil → yeux	

Je révise mon parcours… sur le nom

◎ Il existe deux sortes de noms :

 – le nom commun, qui commence par une lettre minuscule ;

 – le nom propre, qui commence par une lettre majuscule.

◎ Les noms servent à désigner différentes réalités : des personnes et des personnages, des animaux, des objets, etc.

◎ Le nom fait partie d'une classe de mots variables, c'est-à-dire que sa forme peut changer selon :

 – le genre (féminin ou masculin) ;

 – le nombre (singulier ou pluriel).

◎ Le nom est un donneur :

 – il donne son genre et son nombre au déterminant et à l'adjectif qui l'accompagnent ;

 – s'il est le noyau du GN sujet, le nom donne la 3e personne du singulier ou du pluriel au verbe.

◎ Le nom est le plus souvent précédé d'un déterminant.

CHAPITRE 4

Le déterminant

Classes de mots							
Variables					Invariables		
Nom	Déterminant	Adjectif	Pronom	Verbe	Préposition	Adverbe	Conjonction

Lis le dialogue entre Mathis et sa grand-mère Luce. Tu reconnaîtras sûrement les mots en gras. Tu t'en sers souvent quand tu écris. Ils font partie de la classe des déterminants.

Jeux d'hier et jeux d'aujourd'hui

Mathis : Grand-maman, à quels jeux jouais-tu quand tu avais **mon** âge?

Luce : Je jouais à **la** marelle. J'avais aussi **des** billes et **un** bilboquet.

Mathis : Je ne connais pas **ces** jeux-là.

Luce : Bien sûr! Tu passes **ton** temps à **tes** jeux électroniques!

Mathis : Mais non! Pense à **ce** match de hockey auquel tu as assisté **la** semaine dernière.

Luce : C'est vrai. **Le** sport fait aussi partie de **tes** activités.

Mathis : Je ne pratique pas seulement **un** sport. Je fais aussi **du** patin à roues alignées avec **mes deux** amis, Cédric et Maude.

Texte d'Henriette Major

4.1 Les caractéristiques du déterminant

1. Il existe plusieurs sortes de déterminants. En voici quelques-uns :

Principaux déterminants
Déterminant **article**
Déterminant **démonstratif**
Déterminant **possessif**
Déterminant **numéral**

2. Le déterminant sert à **introduire un nom** dans la phrase.

   Ex. : **Les** amis sont arrivés à **la** maison.

3. Le déterminant fait partie d'une **classe de mots variables,** c'est-à-dire que sa forme peut changer selon le genre (masculin ou féminin) et le nombre (singulier ou pluriel).

   dét. dét. dét. dét.
   Ex. : **mon** oncle **ma** tante **mes** oncles **mes** tantes
   m. s. f. s. m. pl. f. pl.

4. Le déterminant est un **receveur.**

Règle	Exemple
Le déterminant reçoit le genre et le nombre du nom qu'il accompagne.	dét. n. Je vais à **la patinoire.** f. s.

5. Le déterminant peut être formé d'**un mot** ou de **plusieurs mots.**

   Ex. : Un mot : **les** rubans, **son** tour
   Plusieurs mots : **mes trois** sœurs

4.2 Comment repérer le **déterminant** dans une phrase?

◎ Le déterminant est toujours placé **avant le nom.** En général, on ne peut pas l'effacer.

dét.   n.   dét.   n.

Ex.: ***La*** *maison a **des** décorations.*

⟹ ✗*maison a* ✗*décorations.*

Attention! Il y a parfois un adjectif entre le déterminant et le nom.

dét.   adj.   n.

Ex.: *J'ai reçu **une** belle carte.*

◎ Pour vérifier si un mot est bien un déterminant, on peut le remplacer par un autre déterminant que l'on connaît mieux (*le, la, les, l', un, une, des*).

Ex.: *Je rêve d'avoir **cette** moto.*

⟹ *Je rêve d'avoir **une** moto.*

Annexe 9
Manipulations
syntaxiques,
p. 270

4.3 Le déterminant article

1. Le déterminant article sert à **introduire un nom.**

Déterminants articles			Exemples
Singulier		Pluriel	
Masculin	Féminin		
le (l')	la (l')	les	***le*** *livre,* ***l'**hiver* ***la*** *piscine,* ***l'**image* ***les*** *crayons*
un	une	des	***un*** *poème* ***une*** *chanson* ***des*** *textes*
au du		aux des	*aller **au** parc* *jouer **aux** échecs* *revenir **du** cinéma* *parler **des** vacances*

On écrit *l'* au lieu de *le* ou *la* devant un nom qui commence par une voyelle ou un *h* muet.

2. Les déterminants *le, la, l'* et *les* introduisent une réalité connue, tandis que les déterminants *un, une* et *des* introduisent une réalité qui n'est pas connue.

   Ex. : ***La** moto est garée devant la maison.*

   Ici, *La* indique que cette moto est connue.

   ***Une** moto est garée devant la maison.*

   Ici, *Une* indique que cette moto n'est pas connue.

3. Devant un nom qui désigne une réalité qui ne se compte pas, on utilise les déterminants *du, de la, de l'* ou *des*.

   Ex. : ***du** lait, **de la** vanille, **de l'***espoir, **de l'***encre, **des** épinards*

4.4 Le déterminant démonstratif

Le déterminant démonstratif permet de **montrer** la personne, l'animal, l'objet ou toute autre réalité dont on parle.

Déterminants démonstratifs			Exemples
Singulier	**Masculin**	ce cet	***ce** clown* ***cet** animal*
	Féminin	cette	***cette** tulipe*
Pluriel	**Masculin**	ces	***ces** parapluies*
	Féminin	ces	***ces** fleurs*

On écrit *cet* au lieu de *ce* devant un nom masculin qui commence par une voyelle ou un *h* muet.

Ex. : ***cet** habit*

4.5 Le déterminant possessif

Le déterminant possessif sert à indiquer une relation d'**appartenance** ou de **possession.**

Déterminants possessifs				
Personne et nombre	**Singulier**		**Pluriel**	**Exemples**
	Masculin	**Féminin**		
1re pers. s. (à moi)	mon	ma mon	mes	***mon*** *manteau* ***ma*** *chatte* ***mes*** *poissons* ***mon*** *amie*
2e pers. s. (à toi)	ton	ta ton	tes	***ton*** *manteau* ***ta*** *chatte* ***tes*** *poissons* ***ton*** *amie*
3e pers. s. (à lui / à elle)	son	sa son	ses	***son*** *manteau* ***sa*** *chatte* ***ses*** *poissons* ***son*** *amie*
1re pers. pl. (à nous)	notre	notre	nos	***notre*** *manteau* ***notre*** *chatte* ***nos*** *poissons*
2e pers. pl. (à vous)	votre	votre	vos	***votre*** *manteau* ***votre*** *chatte* ***vos*** *poissons*
3e pers. pl. (à eux / à elles)	leur	leur	leurs	***leur*** *manteau* ***leur*** *chatte* ***leurs*** *poissons*

4.6 Le déterminant numéral

Le déterminant numéral donne le **nombre** de personnes, d'animaux, d'objets ou de toute autre réalité que le nom désigne.

Déterminants numéraux		Exemples
Simples	un / une, deux, trois, quatre… onze, douze, treize… dix, vingt, trente, quarante… cent, mille	*une* surprise *douze* invités *dix* cadeaux *cent* enfants
Composés	dix-sept, dix-huit, dix-neuf… vingt et un, trente et un… cent un, cent deux…	*dix-sept* chatons *vingt et un* kilos *cent six* élèves

En général, les déterminants numéraux sont **invariables.**

Ex.: ⇒ ~~quatres~~ albums
⇒ **quatre** albums

Je révise mon parcours... sur le déterminant

◎ Il existe plusieurs sortes de déterminants. Les principaux sont:

Le déterminant article	le / la (l'), les, un / une, des
	au, aux, du, des
Le déterminant démonstratif	ce, cet / cette, ces
Le déterminant possessif	mon, ton, son, notre, votre, leur, ma, ta, sa, notre, votre, leur, mes, tes, ses, nos, vos, leurs
Le déterminant numéral	un / une, deux, trois, quatre, cinq...

◎ Le déterminant sert à introduire un nom dans la phrase.

◎ Le déterminant fait partie d'une classe de mots variables, c'est-à-dire que sa forme peut changer selon:

- le genre (masculin ou féminin);
- le nombre (singulier ou pluriel).

◎ Le déterminant est un receveur: il reçoit le genre et le nombre du nom qu'il accompagne.

◎ Le déterminant peut être formé d'un mot ou de plusieurs mots.

34

CHAPITRE 5

L'adjectif

Classes de mots							
Variables					Invariables		
Nom	Déterminant	Adjectif	Pronom	Verbe	Préposition	Adverbe	Conjonction

Lis le texte suivant, dans lequel tous les adjectifs sont en gras.

Une visite à la ferme

Cet automne, j'ai visité la ferme **moderne** de mon oncle Marcel.
J'ai pu observer la traite des **belles** vaches **brunes**. Je suis entré
dans le poulailler pour distribuer de la moulée **naturelle** aux poules
excitées et pour recueillir leurs œufs tout **chauds**. Puis, je suis allé
jusqu'au bord de la **jolie** rivière, où les canards **sauvages**
se promenaient à la queue leu leu. Je leur ai lancé du pain **sec**.

Quelle **formidable** journée j'ai passée !

Texte d'Henriette Major

Imagine ce texte sans les adjectifs. Par exemple, tu ne pourrais pas savoir comment sont les vaches de l'oncle Marcel ni comment sont ses poules.

Toi aussi, quand tu utilises des adjectifs, tu rends tes textes plus détaillés et aussi plus captivants !

5.1 Les caractéristiques de l'adjectif

1. L'adjectif permet de **décrire** ou de **qualifier** une personne, un animal, un objet ou toute autre réalité.

   Ex. : *une ferme **moderne***   *un matin **ensoleillé***

   (adj.   adj.)

2. L'adjectif fait partie d'une **classe de mots variables**, c'est-à-dire que sa forme peut changer selon le genre (masculin ou féminin) et le nombre (singulier ou pluriel).

   Ex. : *le **gentil** fermier*   *les **gentilles** fermières*

   (adj. / m. s.   adj. / f. pl.)

3. L'adjectif est un **receveur**.

Règle	Exemple
L'adjectif reçoit le genre et le nombre du nom qu'il accompagne.	*C'est une jolie vache.* (adj. → n. / f. s.)

5.2   Comment repérer l'adjectif dans une phrase ?

◎ L'adjectif est souvent placé **après le nom.**

         n.   adj.   n.   adj.

Ex. : *un repas **délicieux**   une balle **noire***

◎ Parfois, certains adjectifs sont placés **avant le nom.** C'est le cas de *beau, bon, grand, gros, jeune, long, petit, premier, deuxième,* etc.

         adj.   n.   adj.   n.

Ex. : *la **deuxième** année   une **longue** journée*

◎ L'adjectif peut être placé **après un verbe** comme *être.*

         v.   adj.   v.   adj.

Ex. : *Jérémy est **chanceux**.   Elle est **grande**.*

◎ Pour vérifier si un mot est bien un adjectif, on peut le remplacer par un autre adjectif que l'on connaît mieux.

                                 adj.

Ex. :   *On a fait des recherches **intéressantes**.*

                                 adj.

    ➡ *On a fait des recherches **faciles**.*

Annexe 9
Manipulations syntaxiques, p. 270

Si cela fonctionne, il te reste seulement à bien accorder l'adjectif avec le nom !

5.3 La formation du féminin des adjectifs

Voici comment former le féminin d'un adjectif à partir de l'adjectif masculin.

Règle générale	Exemples	
On forme l'adjectif féminin en ajoutant un -e à l'adjectif masculin.	chaud → chaude court → courte génial → géniale noir → noire	petit → petite plein → pleine uni → unie vêtu → vêtue

Règles particulières	Exemples	Exceptions
On ne fait aucun changement. -e → -e	rouge → rouge	
Pour plusieurs adjectifs, on double la consonne + -e. -en → -enne -on → -onne -et → -ette -el → -elle -as → -asse -os → -osse	aérien → aérienne bon → bonne muet → muette mortel → mortelle gras → grasse gros → grosse	complet → complète inquiet → inquiète secret → secrète
On change les dernières lettres du mot. -eau → -elle	beau → belle	
-er → -ère	gaucher → gauchère premier → première	

Il existe d'autres règles particulières. Tu les verras au 3e cycle.

• • •

(SUITE)

Règles particulières	Exemples	Exceptions
-eur → -euse → -eure	*rêv**eur*** → *rêv**euse*** *intéri**eur*** → *intéri**eure***	
-teur → -trice → -teuse	*créa**teur*** → *créa**trice*** *men**teur*** → *men**teuse***	
-f → -ve **-c** → -che	*neu**f*** → *neu**ve*** *blan**c*** → *blan**che***	*bre**f*** → *brè**ve*** *se**c*** → *sè**che***
-x → -se	*peureu**x*** → *peureu**se***	*vieu**x*** → *vi**eille*** *dou**x*** → *dou**ce*** *fau**x*** → *fau**sse***
On change en partie la forme du mot.	*fou* → *fo**lle*** *mou* → *mo**lle*** *long* → *long**ue*** *frais* → *fra**îche***	

5.4 La formation du pluriel des adjectifs

Voici comment former le pluriel d'un adjectif à partir de l'adjectif singulier.

Règle générale	Exemples	Exception
On forme l'adjectif pluriel en ajoutant un -s à l'adjectif singulier.	cru → crus grand → grands simple → simples vert → verts	un chien esquimau → des chiens esquimaux
Règles particulières	**Exemples**	**Exceptions**
On ne fait aucun changement. -s → -s -x → -x	gris → gris gras → gras joyeux → joyeux jaloux → jaloux	
On ajoute un -x. -eau → -eaux	beau → beaux	
On change les dernières lettres du mot. -al → -aux	égal → égaux	banal → banals fatal → fatals natal → natals naval → navals

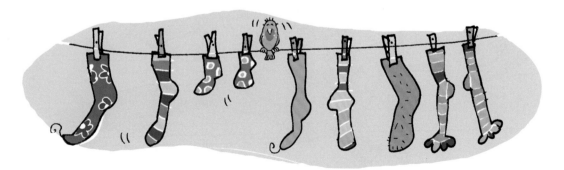

Annexe 6
Adjectifs
de couleur,
p. 200

Je révise mon parcours… sur l'adjectif

◎ L'adjectif permet de décrire ou de qualifier une personne, un animal, un objet ou toute autre réalité.

◎ L'adjectif fait partie d'une classe de mots variables, c'est-à-dire que sa forme peut changer selon:

  – le genre (masculin ou féminin);

  – le nombre (singulier ou pluriel).

◎ L'adjectif est un receveur: il reçoit le genre et le nombre du nom qu'il accompagne.

◎ L'adjectif se place souvent après le nom. Parfois, il peut être placé avant le nom.

◎ L'adjectif peut être placé après un verbe comme *être*.

CHAPITRE 6

Le pronom

Classes de mots							
Variables					Invariables		
Nom	Déterminant	Adjectif	Pronom	Verbe	Préposition	Adverbe	Conjonction

Dans le courriel suivant, les mots en gras sont des pronoms.

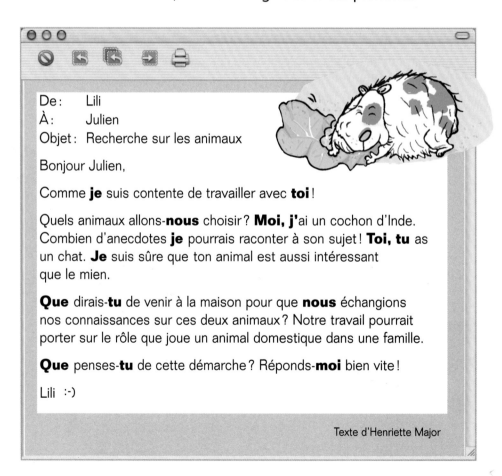

De : Lili
À : Julien
Objet : Recherche sur les animaux

Bonjour Julien,

Comme **je** suis contente de travailler avec **toi** !

Quels animaux allons-**nous** choisir ? **Moi, j'**ai un cochon d'Inde.
Combien d'anecdotes **je** pourrais raconter à son sujet ! **Toi, tu** as
un chat. **Je** suis sûre que ton animal est aussi intéressant
que le mien.

Que dirais-**tu** de venir à la maison pour que **nous** échangions
nos connaissances sur ces deux animaux ? Notre travail pourrait
porter sur le rôle que joue un animal domestique dans une famille.

Que penses-**tu** de cette démarche ? Réponds-**moi** bien vite !

Lili :-)

Texte d'Henriette Major

6.1 Les caractéristiques du pronom

1. Il y a plusieurs sortes de pronoms, par exemple le pronom **personnel** et le pronom **interrogatif.**

2. Le pronom **remplace** souvent un mot ou un groupe de mots mentionné dans un texte. Il est alors un mot substitut.

   > Le pronom permet de ne pas répéter les mêmes mots dans un texte.

   Ex. : **Juliette** *aura des patins neufs.* **Elle** *est contente !*

3. Certains pronoms ne sont pas des mots substituts. Ces pronoms désignent des **personnes qui communiquent,** à l'oral ou à l'écrit.

   Ex. :
   — *Comment vas-***tu** *?*

   — **Je** *vais bien !*

4. Le pronom fait partie d'une **classe de mots variables,** c'est-à-dire que sa forme peut généralement changer selon la personne (1re, 2e ou 3e), le genre (masculin ou féminin) et le nombre (singulier ou pluriel).

pron.	pron.	pron.	pron.
il	**elle**	**ils**	**elles**
3e pers. m. s.	3e pers. f. s.	3e pers. m. pl.	3e pers. f. pl.

   Ex. :

5. Le pronom est un **donneur.**

Règle	Exemple
Quand il est sujet, le pronom donne sa personne et son nombre au verbe.	**Elles ont** *des raquettes.* 3e pers. pl.

6.2 Comment repérer le **pronom** dans une phrase ?

◎ Dans certains cas, on peut repérer le pronom en le remplaçant par un groupe de mots.

  Ex. :
  pron.
  Elle *fera du patin.*

  ➠ ***Ma voisine*** *fera du patin.*

◎ On ne peut pas remplacer le pronom *le, la* ou *les* par le déterminant *un, une* ou *des.*

  Ex. : *Les messages de Carolane, Amélie **les** aime.*

  ➠ *Les messages de Carolane, Amélie ~~des~~ aime.*

6.3 Le pronom personnel

Les pronoms personnels sont les pronoms les plus courants.

- Les pronoms personnels les plus utilisés sont ceux qui servent à **conjuguer les verbes.** Il s'agit de *je, tu, il, elle, on, nous, vous, ils, elles.*

- Les autres pronoms personnels, comme *m', les, lui, eux,* sont des pronoms qui servent à compléter un verbe.

Annexe 8
Tableaux de conjugaison, p. 204

Pronoms personnels			Exemples
Personne	Singulier	Pluriel	
1re pers.	je (j'), me (m'), moi	nous	*Je donne un cadeau.*
2e pers.	tu, te (t'), toi	vous	*Vous allez à une classe de neige.*
3e pers.	il / elle, on, le / la (l'), lui	ils / elles, eux / elles, les, leur	*Elle a emprunté un livre à Lei.*

6.4 Le pronom interrogatif

On met un pronom interrogatif au début de la phrase quand on veut **poser une question.**

Principaux pronoms interrogatifs		Exemples
Singulier	quel / quelle lequel / laquelle	***Quel*** *est ton nom* **?** ***Laquelle*** *est ta sœur* **?**
Pluriel	quels / quelles lesquels / lesquelles	***Quels*** *sont tes sports préférés* **?** ***Lesquelles*** *sont nos places* **?**
Formes qui ne changent pas	qui que (qu') quoi	***Qui*** *a écrit cette chanson* **?** ***Que*** *manges-tu pour souper* **?** *À* ***quoi*** *penses-tu en ce moment* **?**

Je révise mon parcours... sur le pronom

◎ Il y a plusieurs sortes de pronoms. En voici deux sortes :

Le pronom personnel	je (j'), me (m'), moi, tu, te (t'), toi...
Le pronom interrogatif	quel / quelle, lequel / laquelle, quels / quelles, lesquels / lesquelles...

◎ Le pronom remplace souvent un mot ou un groupe de mots mentionné dans un texte. Il est alors un mot substitut.

◎ Le pronom peut aussi désigner des personnes qui communiquent, à l'oral ou à l'écrit.

◎ Le pronom fait partie d'une classe de mots variables, c'est-à-dire que sa forme peut généralement changer selon :
   – la personne (1re, 2e ou 3e) ;
   – le genre (masculin ou féminin) ;
   – le nombre (singulier ou pluriel).

◎ Le pronom est un donneur : quand il est sujet, il donne sa personne et son nombre au verbe.

CHAPITRE 7

Le verbe

Classes de mots							
Variables					Invariables		
Nom	Déterminant	Adjectif	Pronom	Verbe	Préposition	Adverbe	Conjonction

Lis le texte suivant et observe les mots en gras. Ce sont tous des verbes.

La télévision

Quand tu **regardes** la télévision, ce que tu **vois** en réalité, c'**est** une série de points lumineux. Ton œil **retient** l'ensemble de ces points qui **forment** une image.

Savais-tu qu'ici, dans les années 1950, on **a diffusé** les premières émissions ? Les images **étaient** en noir et blanc. La télévision en couleurs **date** des années 1960.

Quel chemin la télévision **a parcouru** depuis ce temps ! Aujourd'hui, grâce aux satellites, nous **recevons** des émissions de partout à travers le monde. Nous **pouvons** voyager confortablement assis dans un fauteuil.

Texte d'Henriette Major

Crois-tu que l'on pourrait comprendre le texte sans les verbes ?
Non, le verbe est essentiel dans la phrase.

7.1 Les caractéristiques du verbe

1. Dans la phrase, le verbe sert
   à exprimer une **action** ou un **fait.**

   v.
   Ex. : *Brutus **jappe** fort.*

2. Le verbe fait partie d'une **classe de mots variables.**
   C'est le seul mot de la phrase qui se conjugue, c'est-à-dire :

   – que sa forme peut changer selon la **personne** et le **nombre**
   du sujet ;

Personne	Nombre	
	Singulier	Pluriel
1re pers.	**je** pleur**e**	**nous** pleur**ons**
2e pers.	**tu** pleur**es**	**vous** pleur**ez**
3e pers.	**il / elle, on** pleur**e**	**ils / elles** pleur**ent**

   – que sa forme peut changer selon le **moment** qu'il exprime.

   Passé   Présent   Futur

Moments	Exemples
Passé (hier)	*Hier, le vétérinaire **a vacciné** mon chien.*
Présent (aujourd'hui)	*Aujourd'hui, il **vente** beaucoup.*
Futur (demain)	*Demain, j'**irai** promener mon chien.*

3. Le verbe est un **receveur.**

Règles	Exemples
Le verbe reçoit la personne (3ᵉ) et le nombre du noyau du GN sujet.	GN n.　v. Ma **fille** aim**e** son chien. 3ᵉ pers. s.
Le verbe reçoit la personne et le nombre du pronom sujet.	pron.　v. **Nous** aim**ons** notre chien. 1ʳᵉ pers. pl.

7.2 Comment repérer le verbe dans une phrase ?

◎ En général, le verbe se place **après le sujet.**

　　　　　　　　　v.
Ex. : *Le vétérinaire* **soigne** *mon chien.*

◎ Pour repérer un verbe conjugué, on l'encadre par **ne... pas** ou **n'... pas.**

Ex. : *Maïna aime les animaux.*

⇒ *Maïna **n'**aime **pas** les animaux.*

◎ Pour vérifier si un mot est bien un verbe, on peut le conjuguer à un autre temps.

Ex. : *Le vétérinaire **soigne** le chien.* (présent)

⇒ *Le vétérinaire **soignait** le chien.* (imparfait)

Annexe 9
Manipulations
syntaxiques,
p. 270

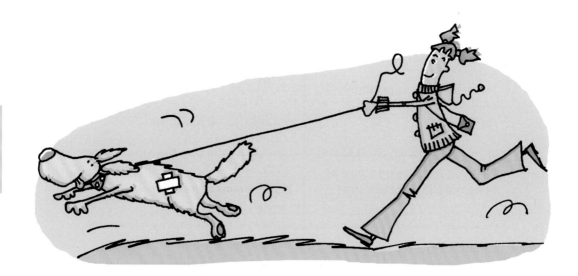

Je révise mon parcours... sur le verbe

◎ Dans la phrase, le verbe sert à exprimer une action ou un fait.

◎ Le verbe fait partie d'une classe de mots variables. C'est le seul mot de la phrase qui se conjugue, c'est-à-dire que sa forme peut changer selon :

   – la personne (1re, 2e ou 3e) et le nombre (singulier ou pluriel) du sujet ;

   – le moment qu'il exprime (passé, présent ou futur).

◎ Le verbe est un receveur :

   – il reçoit la personne (3e) et le nombre du noyau du GN sujet ;

   – il reçoit la personne et le nombre du pronom sujet.

◎ En général, le verbe se place après le sujet.

◎ Pour repérer un verbe conjugué, on l'encadre par *ne... pas* ou *n'... pas*.

CHAPITRE 8

Les classes de mots invariables

Classes de mots							
Variables					Invariables		
Nom	Déterminant	Adjectif	Pronom	Verbe	Préposition	Adverbe	Conjonction

En français, il existe trois classes de mots invariables : la préposition, l'adverbe et la conjonction. Ces mots ne changent ni en genre ni en nombre.

Le texte suivant présente quelques prépositions en **vert**, quelques adverbes en **orange** et quelques conjonctions en **rose.** Observe bien ces mots.

Les lunettes

Avant l'invention des lunettes, qu'arrivait-il aux gens qui ne voyaient pas bien ? Ils vivaient tout simplement comme dans un rêve : leur monde était flou et vague.

Les loupes ont été les premiers instruments d'aide à la lecture.

Ensuite, les premières lunettes, ou les besicles, ont été inventées. Il s'agissait de petites lunettes rondes sans branches que l'on posait sur le bout du nez.

Texte d'Henriette Major

8.1 La préposition

1. La préposition est un mot invariable. Elle sert à **introduire** un **mot** ou un **groupe de mots** dans la phrase.

2. Voici une liste de prépositions souvent utilisées.

Prépositions	Exemples
à, de	*Cette loupe est **à** Fanny.*
pour, contre	*Simon met ses lunettes **pour** jouer.*
dans, sur	*Morgane entre **dans** le bureau.*
sans, avec	*Je ne vois rien **sans** mes lunettes.*

8.2 L'adverbe

1. L'adverbe est un mot invariable. Il sert souvent à **modifier le sens** d'un verbe, d'un adjectif ou d'un autre adverbe.

2. Voici une liste d'adverbes souvent utilisés.

Adverbes	Exemples
oui, non	***Oui**, je suis myope.*
bien, mal	*Cette monture te va **bien**.*
peu, très	*Ce bol est **très** grand.*
toujours, jamais	*Marion a **toujours** faim.*

Beaucoup d'adverbes se terminent par le suffixe -*ment*.

Ex. : *calmement*

8.3 La conjonction

1. La conjonction est un mot invariable. Elle sert à **établir un lien** entre des mots ou des phrases. Les conjonctions sont donc des marqueurs de relation.

Annexe 3
Marqueurs de relation, p. 180

2. Voici une liste de conjonctions souvent utilisées.

Conjonctions	Exemples
mais	*Je cherche un étui à lunettes, **mais** je n'en trouve pas.*
ou	*Il mangera des œufs **ou** des céréales.*
et	*Marina vit avec son frère **et** sa mère.*
parce que	*Tony doit s'acheter des lunettes **parce qu'**il ne voit pas bien.*

Je révise mon parcours… sur les classes de mots invariables

◎ La préposition, l'adverbe et la conjonction sont des mots invariables, c'est-à-dire qu'ils ne changent ni en genre ni en nombre.

◎ La préposition sert à introduire un mot ou un groupe de mots dans la phrase.

◎ L'adverbe sert souvent à modifier le sens d'un verbe, d'un adjectif ou d'un autre adverbe.

◎ La conjonction sert à établir un lien entre des mots ou des phrases. C'est un marqueur de relation.

3ᵉ PARTIE

J'APPROFONDIS
MA CONNAISSANCE DES MOTS

Voici un proverbe
à compléter :
Qui va à la chasse, ...
a) ...rapporte du gibier.
b) ...perd sa place.
c) ...doit marcher silencieusement.

Réponse : b

T'arrive-t-il d'inventer de drôles de mots pour t'amuser, ou encore pour désigner un animal imaginaire que tu viens de dessiner? Eh bien, il n'y a pas que toi qui le fais. On crée des mots dans toutes sortes de domaines, comme les sports, les sciences ou les techniques.

Dans cette troisième partie, tu apprendras comment on forme des mots en français et comment on en crée de nouveaux.

CHAPITRE 9
La formation des mots

Dans ce chapitre, tu vas apprendre comment on forme des mots. Ensuite, tu pourras plus facilement comprendre le sens des mots.

Dans le texte suivant, les mots en gras sont formés à partir d'autres mots.

Des grands-parents dévoués

Ma grand-mère est archiconnue dans le quartier, car elle s'occupe des sans-abri. Elle leur sert des repas chauds au centre communautaire. Quant à mon grand-père, c'est lui le **cuisinier**! Je vais parfois les aider en faisant le service aux tables. Malgré ma **maladresse**, je m'en sors passablement bien. Aussi, je crois qu'un sourire apporte autant de **réconfort** qu'un repas.

Texte d'Henriette Major

Tu as peut-être deviné :

– que le mot *cuisinier* est formé à partir du mot *cuisine*;

– que le mot *maladresse* est formé à partir du mot *adresse*;

– que le mot *réconfort* est formé à partir du mot *confort*.

9.1 Les préfixes et les suffixes

Annexe 1
Préfixes
et suffixes,
p. 150

1. On ajoute un préfixe ou un suffixe à un **mot de base** pour former un autre mot. Le mot de base n'a ni préfixe ni suffixe.

   préfixe   mot de base

   Ex.: **dé** + *faire* = **dé***faire*

   mot de base   suffixe

   chat + **on** = *chat***on**

2. Le **préfixe** est un élément placé **au début d'un mot** pour former un autre mot.

   Ex.: **sur***doué*   **auto***collant*   **centi***mètre*   **télé***commande*

3. Le **suffixe** est un élément placé **à la fin d'un mot** pour former un autre mot.

   Ex.: *fin***al**   *dent***iste**   *vend***eur**   *rapide***ment**

9.2 Les mots composés

1. Un **mot composé** est généralement formé de deux ou trois mots.

   Ex.: *taille* + *crayon* → *taille-crayon*
   arc + *en* + *ciel* → *arc-en-ciel*

2. Un mot composé peut s'écrire:
   - **à l'aide de traits d'union**;

     Ex.: *casse-tête*   *pique-nique*   *ouvre-boîte*

   - **sans trait d'union**;

     Ex.: *clé de sol*   *bleu marine*   *traîne sauvage*

   - **en un mot.**

     Ex.: *portefeuille*   *tournevis*   *bienheureux*

9.3 Les familles de mots

Une **famille de mots** comprend tous les mots qui sont formés à partir d'un même mot de base.

Ex. :

Famille de mots			
Mot de base : *avion*	*aviation* *aviateur*	*hydravion* *aviatrice*	*avion-citerne* *porte-avions* *…*

 Certains dictionnaires présentent les mots par famille.

Ex. :

> **rond, ronde** adj. SENS 1. *Nous mangeons autour d'une table **ronde*** (= circulaire). •• ***arrondir.*** SENS 2. *La Terre est **ronde*** (= sphérique). [...]
>
> ■ **rond** n.m. [SENS 1] *Loïc fait des **ronds** avec son compas*, des cercles. [...]
>
> ■ **ronde** n.f. [SENS 1] *Les enfants font une **ronde***, ils se tiennent par la main et tournent en rond. [...]
>
> ■ **rondement** adv. *L'affaire a été menée **rondement***, vite et bien. [...]
>
> ■ **rondelle** n.f. [SENS 1] *Une **rondelle** de saucisson est une tranche ronde.* ◆ *La joueuse de hockey a lancé la **rondelle** dans le but*, un palet de caoutchouc durci.
>
> ■ **rondin** n.m. [SENS 1] *Le bûcheron coupe le tronc en **rondins***, en morceaux cylindriques.
>
> ■ **rond-point** n.m. [SENS 1] *Au **rond-point**, tu tourneras à droite*, à la place ronde.
>
> *Larousse des jeunes,* dictionnaire des 7/10 ans
> (Édition Nord-Américaine) © Larousse-HER, 2000.

9.4 Les mots-valises

1. Les **mots-valises** permettent de nommer de nouvelles réalités.

   Ex. : *J'ai vu le **bibliobus** dans notre quartier.*

2. Pour former un mot-valise, on fusionne deux parties de mots.

   Ex. :

Mots fusionnés	Mots-valises
bibliothèque + auto**bus**	bibliobus
caméra + magnéto**scope**	caméscope
clavier + bav**ardage**	clavardage
courrier + **él**ectronique	courriel
hélicoptère + aéro**port**	héliport
Internet + astro**naute**	internaute
poubelle + cou**rriel**	pourriel
robot + informa**tique**	robotique
télévision + mara**thon**	téléthon
velours + **cro**chet	velcro

Quelque temps après leur création, les mots-valises peuvent se retrouver dans les dictionnaires.

Ex. :

> **abribus** n.m. (marque déposée) Abri pour les voyageurs qui attendent l'autobus. *Des centaines d'abribus sont dispersés à travers la ville.* **Rem.** Le *s* se prononce. ☞ abri.
>
> *Dictionnaire hrw et thésaurus*, Éditions HRW, 2000.

Je révise mon parcours… sur la formation des mots

◎ On ajoute un préfixe ou un suffixe à un mot de base pour former un autre mot. Le mot de base n'a ni préfixe ni suffixe.

◎ Le préfixe est un élément placé au début d'un mot pour former un autre mot.

◎ Le suffixe est un élément placé à la fin d'un mot pour former un autre mot.

◎ Un mot composé est généralement formé de deux ou trois mots. Il peut s'écrire :
   – à l'aide de traits d'union ;
   – sans trait d'union ;
   – en un mot.

◎ Une famille de mots comprend tous les mots qui sont formés à partir d'un même mot de base.

◎ Les mots-valises :
   – permettent de nommer de nouvelles réalités ;
   – sont formés de deux parties de mots.

CHAPITRE 10

Le sens des mots

Lis le conte suivant, dans lequel les mots de la même couleur ont un sens presque identique.

Le refuge

Il était une fois une petite maison au cœur de la forêt.
Un couple étrange y accueillait des animaux sauvages
pour les nourrir et les soigner.

Un jour, une biche blessée se présenta devant la demeure.
Grâce à ses bienfaiteurs, elle fut bientôt hors de danger.
Elle refusa de retourner dans la forêt et devint un animal
apprivoisé.

Quelques semaines plus tard, l'épouse du vieillard
tomba malade. C'est alors que la biche s'agenouilla,
invitant le vieil homme à l'utiliser comme monture.
Il installa sa femme sur le dos de la bête,
et c'est ainsi qu'ils atteignirent la ville
pour y trouver les soins nécessaires.

Texte d'Henriette Major

10.1 Le sens propre et le sens figuré

1. Un mot a souvent **plus d'un sens.**

   Ex. :

Mot	Mot dans la phrase	Ce que cela veut dire...
Perdre	*Manon **a perdu** ses mitaines.*	Manon ne trouve plus ses mitaines.
	*Ce chevalier **a perdu** la bataille.*	Ce chevalier est vaincu.
	*Hugo **a perdu** son temps.*	Hugo a gaspillé son temps.

2. Le **sens propre** d'un mot est le sens le plus habituel de ce mot.

   Ex. :

   Le sens propre est parfois appelé le «sens commun».

Mot	Sens propre	Ce que cela veut dire...
Avalanche	*Dans cette montagne, il y a souvent des **avalanches.***	Dans cette montagne, il y a souvent d'énormes masses de neige qui se détachent.

3. Le **sens figuré** d'un mot sert à créer une image.

   Ex. :

Mot	Sens figuré	Ce que cela veut dire...
Avalanche	*Il a reçu une **avalanche** de cadeaux pour Noël.*	Il a reçu beaucoup de cadeaux pour Noël.

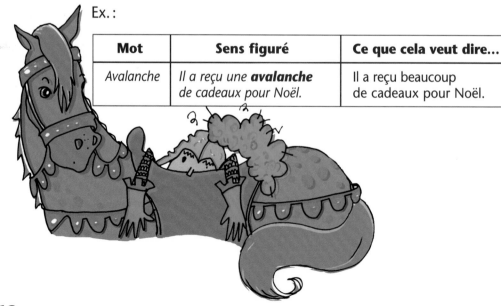

4. Une **expression** est une suite de mots qui a souvent un sens figuré.

Ex. :

Expressions de sens figuré	Ce que cela veut dire...
S'entendre comme chien et chat.	Se disputer sans arrêt.
Avoir des doigts de fée.	Être très habile de ses mains.
En un clin d'œil.	Très rapidement.

 Dans un dictionnaire, les différents sens d'un mot sont indiqués par des numéros.

Ex. :

> **clouer** v. tr.
> **1.** Fixer avec des clous. *La planche est clouée au sol.* [...]
> **2.** (FIGURÉ) Immobiliser. *Il est cloué au lit depuis une semaine, il est trop faible pour se lever.* **SYN.** retenir.
>
> de Villers, Marie-Éva. *Le Multi des jeunes* : Dictionnaire de la langue française, Éditions Québec Amérique, 1997.
>
> On indique qu'un sens est figuré par le mot FIGURÉ ou l'abréviation *fig.*

5. Certaines expressions proviennent d'une région en particulier (Québec, France, Acadie, etc.). Ce sont des expressions régionales.

Ex. : *corde à danser* (au Québec)

corde à sauter (en France)

10.2 Les synonymes et les antonymes

Annexe 4
Synonymes et antonymes, p. 182

SYNONYMES

1. Les **synonymes** sont des mots qui ont à peu près le même sens.

   Ex. : Le mot *joie* est un synonyme du mot *bonheur*.

2. Les mots qui sont synonymes font partie de la même classe de mots.

n.	n.	adj.	adj.	v.	v.

   Ex. : *ami = camarade*   *beau = joli*   *monter = grimper*

ANTONYMES

1. Les **antonymes** sont des mots qui ont un sens contraire.

   Ex. : Le mot *matin* est un antonyme du mot *soir*.

2. Les mots qui sont antonymes font partie de la même classe de mots.

n.	n.	adj.	adj.	v.	v.

   Ex. : *ami ≠ ennemi*   *beau ≠ laid*   *monter ≠ descendre*

Il existe des dictionnaires de synonymes et d'antonymes.

Ex. :

BOISER ◆ SYN. Garnir d'arbres, ***planter,*** reboiser, transplanter. ◆ ANT. Abattre, bûcher, couper, déboiser, dégarnir.

Dictionnaire des synonymes et des antonymes,
Dupuis, Légaré, Therrien, Fides, 2003.

≋ 10.3 Les homophones

Annexe 5
Homophones,
p. 190

1. Les **homophones** sont des mots qui se prononcent de la même façon (ou presque), mais qui ont un sens différent.

   Ex. : *Mon **verre** de lait est sur mon bureau **vert**.*

2. Les homophones peuvent être différents par une ou des lettres.

Homophones	Exemples
pain	*Laura a acheté un **pain** à la boulangerie.*
pin	*Cet arbre est un **pin**.*
peint	*Guillaume a **peint** sa nouvelle chambre.*

3. Les homophones peuvent être différents par un simple accent.

Homophones	Exemples
a	*Thomas **a** prêté son ballon.*
à	*Océane lui redonnera son ballon **à** la fin de la journée.*

10.4 Les mots de la langue familière

Les mots de la langue familière sont souvent utilisés à l'oral.
Cependant, à l'oral comme à l'écrit, il est préférable d'utiliser
les mots de la langue standard.

Ex. :

Langue familière	Langue standard
*Ce **gars** réussit bien en français.*	*Ce **garçon** réussit bien en français.*
*Le **boulot** de Mathilde est épuisant.*	*Le **travail** de Mathilde est épuisant.*
*Cesse de **gigoter**!*	*Cesse de **bouger**!*
*Ton costume est **épeurant**.*	*Ton costume est **effrayant**.*

Dans un dictionnaire, quand un mot est familier, on l'indique
avant la définition de ce mot.

Ex. :

> L'abréviation *fam.* indique
> que ce mot est familier.

gars n.m. fam. Garçon, jeune homme.
C'était un gars bien sympathique.

Dictionnaire hrw et thésaurus, Éditions HRW, 2000.

Je révise mon parcours… sur le sens des mots

- ◎ Le sens propre d'un mot est le sens le plus habituel de ce mot.

- ◎ Le sens figuré d'un mot sert à créer une image.

- ◎ Une expression est une suite de mots qui a souvent un sens figuré.

- ◎ Les synonymes sont des mots qui ont à peu près le même sens.

- ◎ Les antonymes sont des mots qui ont un sens contraire.

- ◎ Les homophones sont des mots qui se prononcent de la même façon (ou presque), mais qui ont un sens différent.

- ◎ Les mots de la langue familière sont souvent utilisés à l'oral. Cependant, à l'oral comme à l'écrit, il est préférable d'utiliser les mots de la langue standard.

4ᵉ
PARTIE

J'OBSERVE DEUX GROUPES DE MOTS

Quand tu travailles en classe ou que tu fais une activité, tu as parfois l'occasion de former des groupes avec tes camarades. Cela peut être très agréable de travailler ensemble. De plus, comme le dit le proverbe : « L'union fait la force. »

Dans les phrases, les mots aussi forment des groupes. Il y a ainsi deux grandes équipes : le groupe du nom (GN) et le groupe du verbe (GV).

Dans cette quatrième partie, tu verras que les deux groupes de mots sont importants, comme les équipes que vous formez, tes camarades et toi !

CHAPITRE 11

Le groupe du nom (GN)

Remarque les groupes de mots qui sont en gras dans le texte suivant.
Ce sont des groupes du nom.

Le soleil

Les levers de soleil sont toujours **des spectacles magnifiques.**
Chaque matin, ils sont différents. Ils sont parfois rouges
et or ; ils sont parfois orangés.

Une maison isolée, près d'un lac, est un endroit idéal
pour les observer. Au chalet, j'aime me lever tôt. **Les oiseaux**
me réveillent par **leurs chants. Le lac** me renvoie les lueurs
de l'aurore. Pour moi, c'est **le meilleur moment** pour commencer
la journée.

Texte d'Henriette Major

Chaque groupe du nom comprend au moins un nom.
Le groupe du nom est aussi appelé le GN.

11.1 Les caractéristiques du groupe du nom (GN)

1. Dans la phrase, le groupe du nom (GN) est formé d'un **nom,** seul ou accompagné d'autres mots.

   Le GN peut donc avoir différentes constructions. En voici des exemples.

> Le GN peut être remplacé par un pronom.
>
> **GN**
> Ex. : $\boxed{Amy}$ dort.
>
> **pron.**
> ⟹ Elle dort.

Constructions du GN	Exemples
NOM SEUL	**GN** $\boxed{\text{n.}\ \textbf{Clara}}$ est partie.
DÉTERMINANT + NOM	**GN** $\boxed{\text{dét.}\ \text{n.}\ \textbf{Mon frère}}$ s'entraîne beaucoup.
DÉTERMINANT + NOM + ADJECTIF	**GN** Nous avons passé $\boxed{\text{dét.}\ \text{n.}\ \text{adj.}\ \textbf{une journée agréable}}$.
DÉTERMINANT + ADJECTIF + NOM	**GN** Elle a aperçu $\boxed{\text{dét.}\ \text{adj.}\ \text{n.}\ \textbf{un énorme tigre}}$.

N'oublie pas : quand il y a un nom, c'est sûr qu'il y a un GN !

2. Le nom est le **noyau** du groupe du nom (GN).

Ex. : *Elle a écrit* $\boxed{\begin{array}{c} \text{GN} \\ \text{n.} \\ une\ \textbf{\textit{lettre}} \end{array}}$.

3. On ne peut pas effacer le noyau du GN. Sinon, la phrase devient incomplète et n'a plus de sens.

Ex. : *Léo lit dans* $\boxed{\begin{array}{c} \text{GN} \\ \text{n.} \\ le\ grand\ \textbf{\textit{solarium}} \end{array}}$.

⇒ *Léo lit dans le grand* ✕ .

11.2 Les accords dans le groupe du nom (GN)

1. Voici les règles d'accord dans le GN.

Les accords dans le GN	
Règles	**Exemples**
L'accord du déterminant Le déterminant s'accorde en genre et en nombre avec le nom qu'il accompagne.	*GN* dét. n. *Une **lionne*** *s'avance vers nous.* f. s.
L'accord de l'adjectif L'adjectif s'accorde en genre et en nombre avec le nom qu'il accompagne. Quand un participe passé est employé comme un adjectif, on l'accorde aussi comme un adjectif.	*GN* n. adj. *Il y avait* des ***manèges*** *étourdissants* . m. pl. *GN* n. p. p. *Les **tours** joués* *m'ont fait rire.* m. pl.

2. Voici comment faire les accords dans le groupe du nom (GN).

Procédure d'accord dans le GN	Exemple
1° Repère le nom noyau du GN. C'est le donneur.	n. *J'adore les **montagnes** russes.*
2° Trouve le genre et le nombre du nom.	n. *J'adore les **montagnes** russes.* f. pl.
3° Trace une flèche qui part du nom donneur et qui se rend : – au déterminant receveur ; – à chaque adjectif receveur.	dét.　n.　adj. *J'adore les **montagnes** russes.* f. pl.
4° Assure-toi que tous les receveurs ont le même genre et le même nombre que le donneur.	dét.　n.　adj. *J'adore le**s montagnes** russes.* f. pl.

Pour vérifier le genre et le nombre d'un nom ou d'un adjectif, tu peux consulter plusieurs outils :

– le tableau de la formation du féminin des noms, p. 24 ;
– le tableau de la formation du pluriel des noms, p. 26 ;
– le tableau de la formation du féminin des adjectifs, p. 38 ;
– le tableau de la formation du pluriel des adjectifs, p. 40 ;
– et, bien sûr, un dictionnaire !

3. Voici quelques autres règles à retenir pour les accords dans le groupe du nom (GN).

Règle d'accord de plusieurs adjectifs avec le nom	Exemple de GN
Quand il y a plusieurs adjectifs dans le GN, on accorde tous ces adjectifs avec le nom.	n. adj. adj. des **félins** fiers et élégants m. pl.

Règle d'accord du déterminant formé avec *tout*	Exemples de GN
Quand un déterminant est formé avec le mot *tout*, on accorde aussi ce mot avec le nom.	dét. n. dét. n. toute **la jungle** tous **les tigres** f. s. m. pl.

Je révise mon parcours… sur le groupe du nom (GN)

◎ Dans la phrase, le groupe du nom (GN) est formé d'un nom, seul ou accompagné d'autres mots.

◎ Le GN peut avoir différentes constructions. En voici des exemples :

    — NOM SEUL

    — DÉTERMINANT + NOM

    — DÉTERMINANT + NOM + ADJECTIF

    — DÉTERMINANT + ADJECTIF + NOM

◎ Le nom est le noyau du GN. On ne peut pas l'effacer.

CHAPITRE 12

Le groupe du verbe (GV)

Remarque les groupes de mots qui sont en gras dans le texte suivant. Ce sont des groupes du verbe.

Une future championne

Mon sport préféré en hiver **est le patinage artistique.**

Je **suis des cours de patinage sur glace.**

Chaque mardi, je vais à la patinoire municipale.

J'aime les exercices en groupe.

Un jour, vous me verrez peut-être

aux Jeux olympiques. En attendant, je m'entraîne

très fort. Je **crois aux bienfaits du sport.**

Texte d'Henriette Major

Chaque groupe du verbe comprend un verbe conjugué. Le groupe du verbe est aussi appelé le GV.

12.1 Les caractéristiques du groupe du verbe (GV)

1. Dans la phrase, le groupe du verbe (GV) est formé d'un **verbe conjugué,** seul ou accompagné d'autres mots.

   Le GV peut donc avoir différentes constructions. En voici des exemples.

Constructions du GV	Exemples
VERBE SEUL	GV v. Sabrina **sourit**.
VERBE + ADJECTIF	GV v. adj. Ses patins **sont neufs**.
VERBE + GN	GV v. GN Mohamed **prend** **une branche cassée**.

2. Le verbe conjugué est le **noyau** du GV.

   GV
   v.
   Ex. : *Édouard* **mange** *un fruit*.

N'oublie pas : quand il y a un verbe conjugué, c'est sûr qu'il y a un GV !

3. On ne peut pas effacer le noyau du groupe du verbe (GV).
   Sinon, la phrase devient incomplète et n'a plus de sens.

   GV

   Ex.:   Elles | **passent** *une belle journée* .

   ⟹ *Elles* ✕ *une belle journée.*

4. Certains verbes (ex.: *avoir, être, faire, utiliser,* etc.) **doivent être accompagnés de mots** pour former le GV.

   Si l'on efface les mots qui accompagnent ces verbes, la phrase devient incomplète et n'a plus de sens.

Verbes	Exemples
Avoir	GV *Anouck* | **a** *un nouvel ami* . ⟹ *Anouck* **a** ✕ .
Être	GV *Cette patinoire* | **est** *immense* . ⟹ *Cette patinoire* **est** ✕ .
Faire	GV *Robin* | **fait** *un bonhomme de neige* . ⟹ *Robin* **fait** ✕ .
Utiliser	GV *Théo* | **utilise** *des patins à glace* . ⟹ *Théo* **utilise** ✕ .

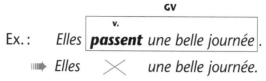

4e partie J'OBSERVE DEUX GROUPES DE MOTS

Je révise mon parcours... sur le groupe du verbe (GV)

◎ Dans la phrase, le groupe du verbe (GV) est formé d'un verbe conjugué, seul ou accompagné d'autres mots.

◎ Le GV peut avoir différentes constructions. En voici des exemples :

- VERBE SEUL
- VERBE + ADJECTIF
- VERBE + GN

◎ Le verbe conjugué est le noyau du GV. On ne peut pas l'effacer.

◎ Certains verbes (ex. : *avoir, être, faire, utiliser,* etc.) doivent être accompagnés de mots pour former le GV.

5e PARTIE

JE M'EXERCE À CONJUGUER

passé

présent

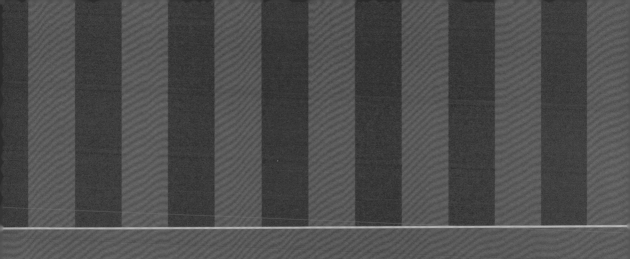

futur

Tous les jours, tu conjugues des verbes. Par exemple,
quand tu racontes des événements qui te sont arrivés
dans le passé ou que tu formules des souhaits pour l'avenir,
tu conjugues des verbes. Quand tu parles en ton nom ou
au nom de tous tes camarades de classe, tu conjugues aussi
des verbes.

Dans cette cinquième partie de ta grammaire, tu te rendras
compte que la conjugaison est un outil assez simple et très
précieux pour bien écrire.

CHAPITRE 13
La conjugaison

Dans le texte suivant, remarque comment sont conjugués les verbes en gras.

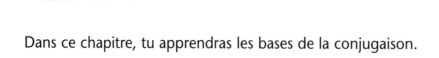

Les mystères de la météo

Aujourd'hui, nous n'**avons** qu'à tourner le bouton
de notre téléviseur pour nous renseigner sur le temps
qu'il **fera**.

Mais attention! Nous **mêlons** trop souvent les notions
de temps et de température. La température s'exprime
en degrés : il **fait** 0 °C, 20 °C, −10 °C, etc.
Le temps, c'**est**, par exemple,
le fait qu'il **pleuve** ou qu'il **vente**.
Il ne **faut** pas dire que «nous **avons**
une belle température», mais bien
que «nous **avons** du beau temps».

Texte d'Henriette Major

Dans ce chapitre, tu apprendras les bases de la conjugaison.

13.1 Les bases de la conjugaison

1. La conjugaison, c'est les **différentes formes** que peut prendre un verbe selon le mode, le temps, la personne et le nombre.

2. Le verbe est composé d'un **radical** (première partie du verbe) et d'une **terminaison** (seconde partie du verbe).

   Ex.: Verbe **annonc**er → Ils **annonc**ent une tempête de neige.

3. La plupart des verbes gardent le même **radical** au cours de la conjugaison.

   Ex.: Verbe **pens**er → je **pens**e, elles **pens**eront, je **pens**ais

4. La **terminaison** du verbe change au cours de la conjugaison.

   Ex.: Verbe dans**er** → je dans**e**, elle dans**ait**, ils dans**ent**

13.2 Le mode du verbe

Annexe 8
Tableaux de conjugaison, p. 204

Le verbe change selon le mode. Il existe cinq modes différents.

Modes du verbe	Exemples
Indicatif	Il **pleuvait** mardi passé.
Subjonctif	Je souhaite **qu'**il **fasse** soleil demain.
Impératif	**Sois** prudent à bicyclette.
Infinitif	Le verbe **mentir** veut dire « **affirmer** quelque chose de faux ».
Participe	Elsa chantait en **marchant** sous la pluie.

13.3 Le temps du verbe

1. Le verbe change selon le temps.

2. Le verbe conjugué à un **temps simple** est formé d'un seul mot.

   Ex. : je **rêve**

3. Le verbe conjugué à un **temps composé** est formé d'un auxiliaire (*avoir* ou *être*) et du verbe au participe passé.

   Ex. : j'**ai rêvé**

13.4 La personne et le nombre du verbe

1. Le verbe change selon la personne et le nombre. Il existe trois personnes au singulier et trois personnes au pluriel.

Personne et nombre	Exemples
1re pers. s. je (j')	*Je mange des crêpes.*
2e pers. s. tu	*Tu marches sur la neige.*
3e pers. s. il / elle	*Il creuse son terrier.*
on	*On joue au baseball.*
1re pers. pl. nous	*Nous jouons au baseball.*
2e pers. pl. vous	*Vous chantez en chœur.*
	Madame, vous dansez bien.
3e pers. pl. ils / elles	*Elles regardent la partie.*

2. Voici les finales de chaque personne à l'indicatif présent, à l'imparfait, au futur simple, au conditionnel présent et au subjonctif présent.

Personne et nombre	Pronoms	Finales	Exemples
1re pers. s.	je (j')	-s -e -x -ai	*je* finis *je* mange *je* peux *j'*irai
2e pers. s.	tu	-s -x	*tu* marches *tu* veux
3e pers. s.	il / elle, on	-d -a -t -e	*on* vend *elle* ira *il* sortait *il* rêve
1re pers. pl.	nous	-ons	que *nous* dessinions
2e pers. pl.	vous	-ez -es	*vous* danseriez *vous* faites
3e pers. pl.	ils / elles	-nt	*ils* arrivaient *elles* iront

86

13.5 Les verbes réguliers

🔑
Annexe 8
Tableaux de conjugaison, p. 204

Les **verbes réguliers** sont ceux qui se comportent de la même façon dans la conjugaison.

1. Les verbes en **-er**, comme *aimer*, sont réguliers. Ils ont toujours les **mêmes terminaisons.**

   Ex. : *tu aim**es**, tu mang**es**, tu rang**es**, tu dîn**es***

Il y a une exception : le verbe *aller* est irrégulier.

2. Les verbes en **-ir**, comme *finir*, sont réguliers. Ils ont toujours les **mêmes terminaisons.**

   Ex. : *nous finiss**ons**, nous rougiss**ons**, nous bâtiss**ons***

13.6 Les verbes irréguliers

Les **verbes irréguliers** ne suivent pas les mêmes règles que les verbes réguliers. Ils peuvent changer de **radical** au cours de la conjugaison ou avoir des terminaisons particulières.

Ex. : *tenir* → *nous **ten**ons, que tu **tienn**es, vous **tiend**rez*

◎ La conjugaison, c'est les différentes formes que peut prendre un verbe selon le mode, le temps, la personne et le nombre.

◎ Le verbe est composé d'un radical (première partie du verbe) et d'une terminaison (seconde partie du verbe).

◎ La plupart des verbes gardent le même radical au cours de la conjugaison.

◎ La terminaison du verbe change au cours de la conjugaison.

◎ Le verbe change selon le mode.

◎ Le verbe change selon le temps.

◎ Le verbe conjugué à un temps simple est formé d'un seul mot.

◎ Le verbe conjugué à un temps composé est formé d'un auxiliaire (*avoir* ou *être*) et du verbe au participe passé.

◎ Le verbe change selon la personne et le nombre. Il existe trois personnes au singulier et trois personnes au pluriel.

◎ Les verbes réguliers sont ceux qui se comportent de la même façon dans la conjugaison. Les verbes en **-er** sont réguliers, de même que les verbes en **-ir** qui se conjuguent comme *finir*.

◎ Les verbes irréguliers ne suivent pas les mêmes règles que les verbes réguliers.

CHAPITRE 14

Les modes et les temps des verbes

Plusieurs verbes sont en gras dans le courriel suivant. Observe-les.

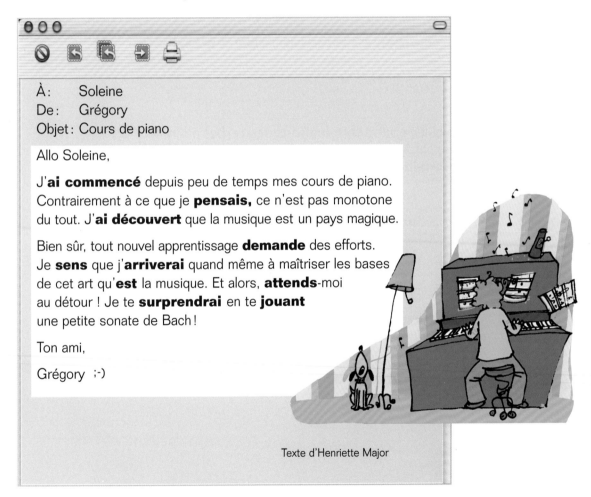

À : Soleine
De : Grégory
Objet : Cours de piano

Allo Soleine,

J'**ai commencé** depuis peu de temps mes cours de piano. Contrairement à ce que je **pensais,** ce n'est pas monotone du tout. J'**ai découvert** que la musique est un pays magique.

Bien sûr, tout nouvel apprentissage **demande** des efforts. Je **sens** que j'**arriverai** quand même à maîtriser les bases de cet art qu'**est** la musique. Et alors, **attends**-moi au détour ! Je te **surprendrai** en te **jouant** une petite sonate de Bach !

Ton ami,

Grégory ;-)

Texte d'Henriette Major

Dans ce courriel, les verbes sont conjugués à différents modes et à différents temps.

14.1 L'infinitif présent   [Mode INFINITIF]

1. L'infinitif présent est la forme de base du verbe. Sans contexte, il sert simplement à exprimer le **sens du verbe.**

   Ex. : Le verbe *courir* veut dire «faire de la course».

   L'infinitif présent est la forme du verbe qu'on trouve dans les dictionnaires.

   Ex. :

   > **chercher** v. **1** • *J'ai perdu un livre, je le **cherche** :* j'essaie de le trouver. […]
   >
   > *Dictionnaire CEC jeunesse,* 1999.

2. Voici les quatre terminaisons des verbes à l'infinitif présent.

Terminaisons	Exemples
-er	*aim**er**, fêt**er**, achet**er**, parl**er**, march**er***
-ir	*fin**ir**, grand**ir**, réuss**ir**, dorm**ir**, ven**ir***
-oir	*v**oir**, sav**oir**, pouv**oir**, voul**oir**, dev**oir***
-re	*rend**re**, batt**re**, fai**re**, croi**re**, li**re***

3. Dans une phrase, le verbe à l'infinitif présent est souvent placé après un **verbe conjugué.**

   v. conjugué
   Ex. : *Il **veut jouer** du piano.*

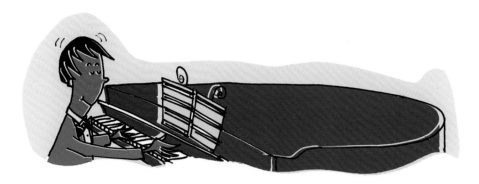

14.2 Le participe présent   Mode PARTICIPE

🔑
Annexe 8
Tableaux de
conjugaison,
p. 204

1. Un verbe au participe présent est **invariable,** c'est-à-dire qu'il ne varie ni en genre ni en nombre.

    p. prés.
    Ex. : *En **faisant** ce récital, elle a pris beaucoup d'assurance.*

2. La terminaison de tous les verbes au participe présent est **-ant**.

Terminaison	Exemples
-ant	*fêt**ant**, rougiss**ant**, cour**ant**, pouv**ant**, fais**ant***

14.3 Le participe passé (Mode PARTICIPE)

1. Un verbe au participe passé peut **varier** en genre et en nombre.

   Ex.: **Soleine** est part**ie** chez Grégory.
   f. s.

2. Voici les terminaisons des verbes au participe passé.

Verbes	Terminaisons	Exemples			
		Masculin singulier	Féminin singulier	Masculin pluriel	Féminin pluriel
Verbes réguliers en -*er* (comme *aimer*)	-*é*	achet**é**	achet**ée**	achet**és**	achet**ées**
Verbes réguliers en -*ir* (comme *finir*)	-*i*	grand**i**	grand**ie**	grand**is**	grand**ies**
Verbes irréguliers en -*ir*, en -*oir* et en -*re*	-*s* -*u* -*i* -*t*	pri**s** vu sorti fait	pri**se** vu**e** sorti**e** fai**te**	pri**s** vu**s** sorti**s** fai**ts**	pri**ses** vu**es** sorti**es** fai**tes**

3. Le participe passé peut être employé avec l'auxiliaire **avoir** ou **être** pour former les temps composés.

   aux. *avoir*   p. p.
   Ex.: *Ils* **ont** **joué** *dehors toute la journée.* (passé composé)

   aux. *être*   p. p.
   Ils **sont partis** *à l'heure du souper.* (passé composé)

4. Le participe passé peut être employé **seul,** c'est-à-dire sans auxiliaire. Il s'accorde alors comme un adjectif.

   n.   p. p.
   Ex.: *Ma leçon* **terminée,** *je pourrai aller jouer.*
   f. s.

14.4 L'indicatif présent   (Mode **INDICATIF**)

Annexe 8
Tableaux de conjugaison, p. 204

1. L'indicatif présent sert généralement à situer une action ou un fait dans le **présent.**

   Ex. : *Je **joue** de la flûte présentement.*

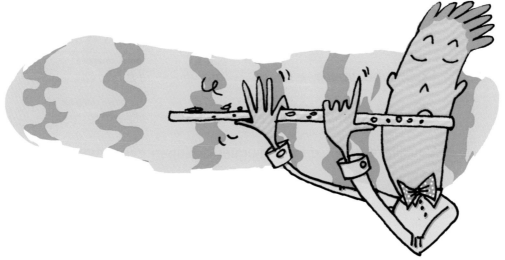

2. Voici les terminaisons de l'indicatif présent.

Personne et nombre	Terminaisons				
	Verbes réguliers		**Verbes irréguliers en -*ir*, en -*oir* et en -*re***		
	en -*er* (comme *aimer*)	en -*ir* (comme *finir*)	la plupart de ces verbes	*pouvoir vouloir valoir*	*couvrir offrir ouvrir...*
1re pers. s.	*-e*	*-s*	*-s*	*-x*	*-e*
2e pers. s.	*-es*	*-s*	*-s*	*-x*	*-es*
3e pers. s.	*-e*	*-t*	*-t*	*-t*	*-e*
1re pers. pl.	*-ons*	*-ons*	*-ons*	*-ons*	*-ons*
2e pers. pl.	*-ez*	*-ez*	*-ez*	*-ez*	*-ez*
3e pers. pl.	*-ent*	*-ent*	*-ent*	*-ent*	*-ent*

14.5 Le passé composé Mode INDICATIF

1. Le passé composé sert généralement à situer dans le **passé** une action ou un fait terminé.

   Ex. : *Ce cours **a été** difficile.*

2. Le passé composé est formé de l'auxiliaire ***avoir*** ou ***être*** à l'indicatif présent et du **participe passé du verbe.**

   Ex. : Verbe *grandir* ➤ il   a   + grandi   =   il a grandi

   (aux. avoir   p. p.   passé composé)

   Verbe *rester* ➤ elle est + restée   =   elle est restée

   (aux. être   p. p.   passé composé)

3. L'auxiliaire ***avoir*** sert à conjuguer la plupart des verbes.

4. L'auxiliaire ***être*** sert à conjuguer des verbes comme *arriver, entrer, partir, devenir, mourir, naître, rester,* etc.

14.6 L'imparfait Mode INDICATIF

1. L'imparfait sert à situer dans le **passé** une action ou un fait en train de se réaliser.

   Ex. : *Hier, j'**apprenais** de nouvelles notes quand tu es arrivé.*

2. Les terminaisons de l'imparfait sont les mêmes pour tous les verbes.

Personne et nombre	Terminaisons
1re pers. s.	*-ais*
2e pers. s.	*-ais*
3e pers. s.	*-ait*
1re pers. pl.	*-ions*
2e pers. pl.	*-iez*
3e pers. pl.	*-aient*

14.7 Le futur simple   (Mode INDICATIF)

1. Le futur simple sert à exprimer une action ou un fait qui aura lieu dans l'**avenir.**

   Ex. : *L'orchestre **jouera** à 14 h 30.*

2. Voici les terminaisons du futur simple.

Personne et nombre	Terminaisons		
	Verbes réguliers		Verbes irréguliers en -*ir*, en -*oir* et en -*re*
	en -*er* (comme *aimer*)	en -*ir* (comme *finir*)	
1re pers. s.	-*erai*	-*rai*	-*rai*
2e pers. s.	-*eras*	-*ras*	-*ras*
3e pers. s.	-*era*	-*ra*	-*ra*
1re pers. pl.	-*erons*	-*rons*	-*rons*
2e pers. pl.	-*erez*	-*rez*	-*rez*
3e pers. pl.	-*eront*	-*ront*	-*ront*

14.8 Le conditionnel présent Mode INDICATIF

1. Le conditionnel présent sert à exprimer une action ou
   un fait qui pourrait se réaliser à une certaine **condition.**

   Ex. : *Si tu terminais tes devoirs, tu **pourrais** aller au parc.*

2. Le conditionnel présent sert également à exprimer une action
   ou un fait **souhaité** ou **imaginaire.**

   Ex. : *Carl **aimerait** devenir un célèbre trompettiste.*

   *Il **donnerait** des concerts partout dans le monde.*

3. Voici les terminaisons du conditionnel présent.

Personne et nombre	Terminaisons		
	Verbes réguliers		Verbes irréguliers en *-ir*, en *-oir* et en *-re*
	en *-er* (comme *aimer*)	en *-ir* (comme *finir*)	
1re pers. s.	*-erais*	*-rais*	*-rais*
2e pers. s.	*-erais*	*-rais*	*-rais*
3e pers. s.	*-erait*	*-rait*	*-rait*
1re pers. pl.	*-erions*	*-rions*	*-rions*
2e pers. pl.	*-eriez*	*-riez*	*-riez*
3e pers. pl.	*-eraient*	*-raient*	*-raient*

14.9 Le subjonctif présent (Mode SUBJONCTIF)

Annexe 8
Tableaux de conjugaison, p. 204

1. Le subjonctif présent est souvent utilisé après des verbes qui expriment un **souhait**, une **volonté** ou une **nécessité**.

   Ex. : *Je souhaite **qu**'elle **reçoive** une guitare électrique.* (souhait)

   *Nous voulons **que** vous **achetiez** cette partition.* (volonté)

   *Il faut **que** tu **viennes** au concert-bénéfice.* (nécessité)

Le verbe conjugué au subjonctif est toujours précédé de *que* (*qu'*).

2. Les terminaisons du subjonctif présent sont les mêmes pour tous les verbes, sauf *avoir* et *être*.

Personne et nombre	Terminaisons	Exceptions	
		avoir	*être*
1re pers. s.	**-e**	*aie*	*sois*
2e pers. s.	**-es**	*aies*	*sois*
3e pers. s.	**-e**	*ait*	*soit*
1re pers. pl.	**-ions**	*ayons*	*soyons*
2e pers. pl.	**-iez**	*ayez*	*soyez*
3e pers. pl.	**-ent**	*aient*	*soient*

🔑 14.10 L'impératif présent ⟨Mode IMPÉRATIF⟩

Annexe 8
Tableaux de conjugaison, p. 204

1. L'impératif présent sert souvent à exprimer un **ordre** ou un **conseil.**

   Ex.: **Arrête** ce vacarme! (ordre)

   Concentrez-vous bien fort. (conseil)

2. L'impératif présent se conjugue sans pronom, à la 2ᵉ personne du singulier, à la 1ʳᵉ personne du pluriel et à la 2ᵉ personne du pluriel.

   Ex.: **Fais** tes gammes d'abord.

   Chantons ensemble.

   Révisez bien votre duo.

3. Voici les terminaisons de l'impératif présent.

Personne et nombre	Terminaisons			
	Verbes réguliers		Verbes irréguliers en -*ir*, en -*oir* et en -*re*	
	en -*er* (comme *aimer*)	en -*ir* (comme *finir*)	la plupart de ces verbes	*couvrir offrir ouvrir...*
2ᵉ pers. s.	-*e*	-*s*	-*s*	-*e*
1ʳᵉ pers. pl.	-*ons*	-*ons*	-*ons*	-*ons*
2ᵉ pers. pl.	-*ez*	-*ez*	-*ez*	-*ez*

Je révise mon parcours… sur les modes et les temps des verbes

- ◎ L'infinitif présent est la forme de base du verbe. Sans contexte, il sert simplement à exprimer le sens du verbe.

- ◎ Un verbe au participe présent est invariable, c'est-à-dire qu'il ne varie ni en genre ni en nombre.

- ◎ Un verbe au participe passé peut varier en genre et en nombre.
- ◎ Le participe passé :
  - peut être employé avec l'auxiliaire *avoir* ou *être* pour former les temps composés ;
  - peut être employé seul, c'est-à-dire sans auxiliaire.

- ◎ L'indicatif présent sert généralement à situer une action ou un fait dans le présent.

- ◎ Le passé composé et l'imparfait servent à situer une action ou un fait dans le passé.

- ◎ Le futur simple sert à exprimer une action ou un fait qui aura lieu dans l'avenir.

- ◎ Le conditionnel présent sert :
  - à exprimer une action ou un fait qui pourrait se réaliser à une certaine condition ;
  - à exprimer une action ou un fait souhaité ou imaginaire.

- ◎ Le subjonctif présent est souvent utilisé après des verbes qui expriment un souhait, une volonté ou une nécessité.

- ◎ L'impératif présent sert souvent à exprimer un ordre ou un conseil.

6ᵉ PARTIE

JE COMPRENDS LA PHRASE

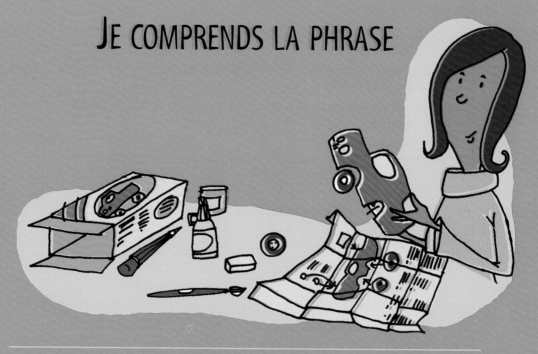

Tu as sûrement déjà construit quelque chose, par exemple une petite cabane ou un modèle réduit de voiture.

S'exprimer, c'est un peu comme un jeu de construction. On assemble des mots dans le bon ordre pour former des phrases correctes. Cela est important pour être bien compris !

Dans cette partie, tu apprendras comment on construit une phrase et comment on accorde le verbe avec le sujet de la phrase.

CHAPITRE 15
La phrase et ses constituants

Dans le texte suivant, observe les groupes sujets et les groupes du verbe qui sont surlignés.

Le parapluie

Le parapluie n'est pas une invention moderne. Des images de parapluies ou de parasols ont été trouvées en Égypte ancienne. Dans la Chine d'autrefois, on fabriquait des parapluies en papier huilé. On se servait de ces abris pliables pour se protéger du soleil ou de la pluie. Ils servaient aussi à donner de l'importance aux personnages officiels.

À Londres, une ville particulièrement pluvieuse, le parapluie est devenu vraiment populaire.

Texte d'Henriette Major

Une phrase contient généralement un groupe sujet et un groupe du verbe. Mais, au fait, qu'est-ce qu'une phrase ? Regardons cela de plus près.

15.1 La construction de la phrase

1. La phrase est constituée d'une **suite de mots** liés les uns aux autres. Ces mots doivent être **bien ordonnés** et ils doivent former un tout **qui a du sens.**

   Ex.: *La ville est pluvieuse.* ➡ *~~Pluvieuse la est ville.~~*

2. Généralement, la phrase commence par une majuscule et finit par un point.

   Ex.: ***L****es Chinois fabriquaient des parapluies**.*

3. La phrase est construite avec deux constituants obligatoires: le **groupe sujet** et le **groupe du verbe.**

   groupe sujet   groupe du verbe

   Ex.: *Alexandre* *a oublié son parapluie.*

15.2 Les constituants de la phrase

15.2.1 Le groupe sujet

1. Le groupe sujet est formé d'un mot ou d'un groupe de mots généralement placé avant le groupe du verbe.

   groupe sujet   groupe du verbe

   Ex.: ***Marc-André*** *court vite.*

2. Le groupe sujet indique **de qui** ou **de quoi on parle.**

   Ex.: ***Ma cousine*** *demeurait en Angleterre.*

   De qui parle-t-on? On parle de *Ma cousine.*

3. Le groupe sujet **ne peut pas être effacé.** Sans lui, la phrase n'aurait pas de sens.

   Ex.:   **Ma cousine** demeurait en Angleterre.

   ⟹   ✗   demeurait en Angleterre.

4. La fonction de sujet est souvent remplie par un **groupe du nom (GN)** ou un **pronom.**

   GN
   Ex.: | **Ma cousine** | a acheté un parapluie.

   pron.
   Tu as vu ce parapluie.

Annexe 9
Manipulations
syntaxiques,
p. 270

5. Pour vérifier si un GN forme le groupe sujet, on peut:

   – le remplacer par un **pronom** comme *il, elle* ou *ils, elles*;

   GN
   Ex.: | Ma sœur | cherche son parasol.

   pron.
   ⟹ **Elle** cherche son parasol.

   – l'encadrer par **C'est**... **qui** ou **Ce sont**... **qui.**

   GN
   Ex.: **C'est** | ma sœur | **qui** cherche son parasol.

15.2.2 Le groupe du verbe

1. Le groupe du verbe est formé d'un mot ou d'un groupe de mots généralement placé après le groupe sujet.

   Ex.: **groupe sujet** *Raphaël* **groupe du verbe** ***souffre d'un coup de soleil***.

2. Le groupe du verbe indique **ce qu'on dit à propos du sujet.**

   Ex.: *Ce parasol* ***fait de l'ombre***.

   Que dit-on à propos du parasol ? On dit qu'il *fait de l'ombre.*

3. Le groupe du verbe **ne peut pas être effacé.** Sans lui, la phrase n'aurait pas de sens.

   Ex.: *Ce parasol* ***fait de l'ombre***.

   ➡ *Ce parasol* ✕ .

4. La fonction du groupe du verbe est toujours remplie par le **verbe conjugué,** seul ou accompagné d'autres mots.

   Ex.: *Le soleil* **groupe du verbe** ***brille***.

   groupe du verbe *Nous* ***lisons*** *des romans.*

Je révise mon parcours... sur
la phrase et ses constituants

◎ La phrase:

– est constituée d'une suite de mots liés les uns aux autres;

– est construite avec deux constituants obligatoires: le groupe sujet et le groupe du verbe.

◎ Le groupe sujet:

– est généralement placé avant le groupe du verbe;

– indique de qui ou de quoi on parle.

La fonction de sujet est souvent remplie par un groupe du nom (GN) ou un pronom.

◎ Le groupe du verbe:

– est généralement placé après le groupe sujet;

– indique ce qu'on dit à propos du sujet.

La fonction du groupe du verbe est toujours remplie par le verbe conjugué, seul ou accompagné d'autres mots.

CHAPITRE 16
Les types et les formes de phrases

Dans le petit conte suivant, prête attention aux phrases en gras. Elles sont toutes différentes.

Le roi des crocodiles

Antoine revit son rêve de la nuit précédente. Il arrive sur une île où se trouve un crocodile coiffé d'une couronne. Antoine s'écrie :

— **Où suis-je ?**

— Tu es sur mon île et je suis le roi des crocodiles.

— Tu mens. **Cette île appartient à mon père.**

— **Battons-nous.** Le plus fort l'emportera.

Le crocodile se jette sur Antoine qui le retourne sur le dos et se met à le chatouiller.

— **Que les chatouilles sont insupportables !** D'accord, tu peux prendre ma couronne !

Antoine prend la couronne et la place sur sa tête.

Texte d'Henriette Major

Dans ce chapitre, tu verras qu'il existe différents types et différentes sortes de phrases.

16.1 La phrase déclarative

1. La phrase déclarative sert à faire une **déclaration**, c'est-à-dire à communiquer un fait, une information ou une opinion.

   Ex. : *Cette île appartient à mon père.*

2. La phrase déclarative est le type de phrase que l'on utilise le plus souvent.

3. La phrase déclarative se termine généralement par un **point** (.).

4. La phrase déclarative peut servir à construire les trois autres types de phrases.

16.2 La phrase interrogative

1. La phrase interrogative sert à poser une **question.**

   Ex. : *Où suis-je ?*

2. La phrase interrogative se termine toujours par un **point d'interrogation** (**?**).

3. Voici différentes façons de transformer une phrase déclarative en phrase interrogative. Dans chaque phrase, il faut remplacer le point par un point d'interrogation.

Transformations	Exemples
Déplacement du pronom • On déplace le pronom sujet après le verbe. • On insère un trait d'union entre le verbe et le pronom.	*Tu vis sur cette île.* ⟹ *Vis-**tu** sur cette île ?*
Ajout de *est-ce que* • On ajoute l'expression *est-ce que* au début de la phrase.	*Vous aimez les reptiles.* ⟹ ***Est-ce que** vous aimez les reptiles ?*
Utilisation d'un mot interrogatif • On remplace un mot ou un groupe de mots par un mot interrogatif (*quel / quelle, quels / quelles, qui,* etc.).	*Ton animal favori est le crocodile.* ⟹ ***Quel** est ton animal favori ?*

Annexe 9
Manipulations syntaxiques, p. 270

16.3 La phrase exclamative

1. La phrase exclamative sert à exprimer une **émotion,** un **sentiment** ou un **jugement.**

   Ex. : *Que cette histoire est belle !*

2. La phrase exclamative se termine toujours par un **point d'exclamation** (**!**).

3. Voici deux façons de transformer une phrase déclarative en phrase exclamative. Dans chaque phrase, il faut remplacer le point par un point d'exclamation.

Annexe 9
Manipulations
syntaxiques,
p. 270

Transformations	Exemples
Ajout d'un mot exclamatif • On ajoute un mot exclamatif (*que, comme*) au début de la phrase.	*Le crocodile est fort.* ➔ **Que** *le crocodile est fort***!** *Antoine est courageux.* ➔ **Comme** *Antoine est courageux***!**
Utilisation d'un déterminant exclamatif • On remplace le déterminant par un déterminant exclamatif (*quel / quelle, quels / quelles*). • On déplace le groupe du nom (GN) en début de phrase.	GN dét. *Il a* |*une belle couronne*|. GN dét. ➔ **Quelle** |*belle couronne*| *il a***!**

16.4 La phrase impérative

1. La phrase impérative sert à formuler un **ordre** ou un **conseil.**

   Ex.: *Sois gentille.*

2. La phrase impérative se termine par un **point** (**.**) ou par un **point d'exclamation** (**!**).

3. La phrase impérative comprend un verbe conjugué à l'**impératif.**

   Ex.: **Dors** *bien.*
   2ᵉ pers. s.

   Dormons *bien.*
   1ʳᵉ pers. pl.

   Dormez *bien.*
   2ᵉ pers. pl.

Annexe 8
Tableaux de conjugaison, p. 204

4. Voici comment on transforme une phrase déclarative en phrase impérative.

Transformations	Exemple
• On efface le pronom sujet. • On met le verbe à l'impératif.	*Tu chatouilles le crocodile.* ▸ **Chatouille** *le crocodile.*

16.5 La forme de la phrase : positive ou négative

1. La phrase de forme négative sert à **nier,** à **refuser**
   ou à **interdire** quelque chose. Elle veut généralement
   dire le contraire de la phrase de forme positive.

   Ex. :

Phrase de forme positive	Phrase de forme négative
Antoine dort paisiblement.	*Antoine **ne** dort **pas** paisiblement.*

2. Pour construire une phrase de forme négative, on ajoute
   généralement deux mots de négation à une phrase de forme
   positive.

Principaux mots de négation	Exemples
ne... pas, n'... pas	*Sandy **ne** sait **pas** danser.*
ne... plus, n'... plus	*Le crocodile **n'**a **plus** de couronne.*
ne... jamais, n'... jamais	*Tu **n'**acceptes **jamais** de perdre.*

3. Tous les types de phrases peuvent être transformés en phrases
   négatives.

   Ex. :

Types de phrases	Phrases de forme positive	Phrases de forme négative
Déclaratif	*J'aime ton dessin.*	*Je **n'**aime **pas** ton dessin.*
Interrogatif	*Vas-tu au théâtre ?*	***Ne** vas-tu **pas** au théâtre ?*
Exclamatif	*Que tu es courageuse !*	*Que tu **n'**es **pas** courageuse !*
Impératif	*Viens tout de suite.*	***Ne** viens **pas** tout de suite.*

Je révise mon parcours… sur les types et les formes de phrases

- ◎ La phrase déclarative sert à faire une déclaration.
- ◎ Elle se termine généralement par un point (.).

- ◎ La phrase interrogative sert à poser une question.
- ◎ Elle se termine toujours par un point d'interrogation (**?**).

- ◎ La phrase exclamative sert à exprimer une émotion, un sentiment ou un jugement.
- ◎ Elle se termine toujours par un point d'exclamation (**!**).

- ◎ La phrase impérative sert à formuler un ordre ou un conseil.
- ◎ Elle se termine par un point (.) ou par un point d'exclamation (**!**).

- ◎ La phrase de forme négative sert à nier, à refuser ou à interdire quelque chose.
- ◎ Tous les types de phrases peuvent être transformés en phrases négatives.

CHAPITRE 17

Les accords dans la phrase

Quand tout le monde s'accorde dans un groupe, c'est l'harmonie. C'est aussi l'harmonie dans les phrases quand les accords sont faits.

Remarque les verbes en gras dans le conte suivant. Chaque verbe est bien accordé avec son sujet.

Élodie, la timide

Élodie **avait** le teint pâle et les cheveux blonds. Elle **était** jolie, mais très timide. À l'école, elle ne **savait** pas comment se comporter quand on s'adressait à elle. Elle **rougissait**, elle **bafouillait**.

Un jour, Élodie **a vu** une de ses compagnes, Mona, trébucher sur une pierre. Elle s'est alors précipitée à son secours. Ensuite, elle **a accompagné** Mona chez l'infirmier de l'école. Depuis ce jour, les deux jeunes filles **sont** de grandes amies. Cet incident **a redonné** à Élodie sa confiance en elle.

Texte d'Henriette Major

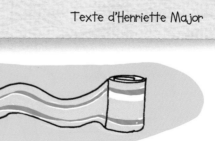

17.1 L'accord du verbe

1. Le verbe conjugué s'accorde avec le sujet. Le sujet est généralement un **GN** ou un **pronom.**

Règles	Exemples
Le verbe s'accorde en personne (3ᵉ) et en nombre avec le noyau du GN sujet.	GN n.　　v. *La jolie **Élodie** soigne Mona.* 3ᵉ pers. s.
Le verbe s'accorde en personne et en nombre avec le pronom sujet.	pron.　v. ***Vous** devenez de grandes amies.* 2ᵉ pers. pl.

> Le noyau du GN est toujours le nom.

2. Voici comment accorder le verbe avec son sujet.

Procédure d'accord du verbe	Exemple
1° Repère le verbe conjugué. C'est le receveur.	*Ma sœur **écoute** la radio.* (v. au-dessus de écoute)
2° Repère le noyau du GN sujet ou le pronom sujet. C'est le donneur.	*Ma **sœur** écoute la radio.* (n. au-dessus de sœur, v. au-dessus de écoute)
3° Trouve la personne et le nombre du donneur.	*Ma **sœur** écoute la radio.* (n. au-dessus de sœur, v. au-dessus de écoute) 3ᵉ pers. s.
4° Trace une flèche qui part du donneur et qui se rend au receveur.	*Ma **sœur** écoute la radio.* (n. → v.) 3ᵉ pers. s.
5° Assure-toi que le receveur a la même personne et le même nombre que le donneur.	*Ma **sœur** écout**e** la radio.* (n. → v.) 3ᵉ pers. s.

Annexe 8
Tableaux de conjugaison, p. 204

Annexe 9
Manipulations syntaxiques, p. 270

3. Pour repérer le noyau d'un GN sujet qui est long, biffe tous les mots du GN qui peuvent être effacés.

Ex. : GN [dét. n.] *Les chiens ~~de mon voisin Noam~~* courent vite.

Il reste alors le noyau et son déterminant.

Ex. : GN [dét. n. → v.] *Les **chiens** cour**ent** vite.* 3ᵉ pers. pl.

4. Voici quelques autres règles à retenir pour l'accord du verbe.

Règles	Exemples
Quand le sujet est formé de plusieurs GN, le verbe reçoit la 3e personne du pluriel.	GN GN n. n. v. *Ma **mère** et ma **tante** prépar**ent** une fête.* 3e pers. pl.
On peut remplacer le sujet par *ils* ou *elles*.	pron. v. ⟹ ***Elles** prépar**ent** une fête.* 3e pers. pl.
Quand le sujet est *foule, groupe, équipe* ou *monde*, le verbe reçoit la 3e personne du singulier.	GN n. v. *Tout le **monde** **est** content.* 3e pers. s.

Je révise mon parcours... sur les accords dans la phrase

◎ Le verbe conjugué s'accorde avec le sujet.

– Le verbe s'accorde en personne (3e) et en nombre avec le noyau du GN sujet.

– Le verbe s'accorde en personne et en nombre avec le pronom sujet.

7e PARTIE

J'APPRENDS
LA PONCTUATION

Lire un texte sans les signes de ponctuation, ce serait difficile. Pourtant, il y a très longtemps, on écrivait sans ponctuation. Puis, des gens ont commencé à inventer des signes pour ponctuer les écrits. Grâce à ces signes, on pouvait désormais mieux lire ces textes.

Aujourd'hui, la ponctuation nous aide à créer toutes sortes de textes : des lettres, des poèmes, des articles, des pièces de théâtre…

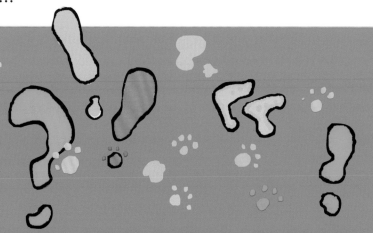

CHAPITRE 18

Les signes de ponctuation

Essaie de lire le texte documentaire qui suit.

---

la chanson

au Québec la chanson a pris son essor durant les années 1960 et 1970 de grands compositeurs comme Félix Leclerc Robert Charlebois et Gilles Vigneault ont alors connu la popularité plusieurs ont fait connaître le Québec en France et ailleurs la chanson québécoise s'est ainsi envolée à travers le monde

---

Lis maintenant ce texte, dans lequel on a mis les signes de ponctuation.

La chanson

Au Québec, la chanson a pris son essor durant les années 1960 et 1970. De grands compositeurs comme Félix Leclerc, Robert Charlebois et Gilles Vigneault ont alors connu la popularité. Plusieurs ont fait connaître le Québec en France et ailleurs. La chanson québécoise s'est ainsi envolée à travers le monde.

Texte d'Henriette Major

Tu peux voir que la ponctuation est très utile pour lire un texte. Dans ce chapitre, tu apprendras comment utiliser les principaux signes de ponctuation.

18.1 Le point .

1. Le point termine généralement une **phrase déclarative**. La phrase qui suit commence alors par une **majuscule**.

    Ex.: *J'aime cette salle de spectacle. Je vois bien la scène.*

2. Le point peut aussi terminer une **phrase impérative**.

    Ex.: *Regardez les décors. Examinez-les.*

18.2 Le point d'interrogation ?

Le point d'interrogation termine une **phrase interrogative**.

Ex.: *Qui était le chanteur? Chantait-il bien?*

18.3 Le point d'exclamation !

1. Le point d'exclamation termine une **phrase exclamative**.

    Ex.: *Comme il est bon! Quelle belle voix il a!*

2. Le point d'exclamation peut aussi terminer une **phrase impérative**.

    Ex.: *Venez le voir! Dépêchez-vous!*

18.4 La virgule ◆,

1. La virgule sert à séparer des mots ou des groupes de mots dans une énumération.

   Ex.: *Le personnage est drôle, amusant et charmant.*

   Je serai un poète, un acteur ou un acrobate.

Dans une énumération, les mots unis par **et** ou par **ou** ne sont pas séparés par une virgule.

2. On met une virgule après un mot ou un groupe de mots déplacé en début de phrase.

   Ex.: *Maeva verra un spectacle **demain.***

   ➠ ***Demain**, Maeva verra un spectacle.*

18.5 Le deux-points ◆:

Le deux-points peut introduire une **réplique** dans un **dialogue.**

Ex.: *La chanteuse parle à ses admirateurs:*

— Je suis contente de vous voir.

— Bravo! Tu es la meilleure, dit une jeune fille.

18.6 Les guillemets «»

Les guillemets servent à indiquer le début et la fin des **paroles que l'on rapporte.**

Ex.: *Elle m'a dit: « J'ai le trac, mais j'y arriverai. »*

18.7 Le tiret —

Le tiret sert à distinguer les différentes **répliques** dans un **dialogue.** On place un tiret devant chaque réplique.

Ex.: *Martin et Josie sortent de la salle de cinéma.*

— Les effets spéciaux ne m'ont pas impressionné, dit Martin.

— Au moins, le maïs soufflé t'a plu ! répond Josie.

Je révise mon parcours... sur les signes de ponctuation

◎ **Le point**
- Il termine généralement une phrase déclarative.
- Il peut aussi terminer une phrase impérative.

◎ **Le point d'interrogation** ❓
Il termine une phrase interrogative.

◎ **Le point d'exclamation** ❗
- Il termine une phrase exclamative.
- Il peut aussi terminer une phrase impérative.

◎ **La virgule**
- Elle sert à séparer des mots ou des groupes de mots dans une énumération.
- Elle sert à séparer un mot ou un groupe de mots déplacé en début de phrase.

◎ **Le deux-points** :
Il peut introduire une réplique dans un dialogue.

◎ **Les guillemets** « »
Ils servent à indiquer le début et la fin des paroles que l'on rapporte.

◎ **Le tiret** —
Il sert à distinguer les différentes répliques dans un dialogue.

8e PARTIE

J'ÉTUDIE
L'ORGANISATION D'UN TEXTE

Que ce soit pour apprendre de nouvelles choses, pour connaître les règles de ton nouveau jeu de société, ou simplement pour communiquer, tu dois être capable de lire et d'écrire des textes.

Dans cette huitième partie de ta grammaire, tu verras différents genres de textes. Tu apprendras aussi comment on construit un texte pour qu'il soit bien organisé et facile à comprendre.

CHAPITRE 19

Les genres de textes

Lis les deux textes suivants, qui parlent d'ovnis.

Les ovnis

Le mot *ovni* est un sigle qui désigne un objet volant non identifié. Beaucoup de personnes disent avoir vu des ovnis. Cependant, on n'a pas encore trouvé d'explications scientifiques à ces phénomènes étranges. En effet, lorsque des gens pensent avoir vu un ovni, plusieurs croient qu'ils ont plutôt aperçu une étoile filante.

Ariane et les ovnis

Ariane est réveillée par un étrange bourdonnement. Elle se lève, court à sa fenêtre et est éblouie par une lumière verdâtre. Elle aperçoit un étrange objet posé sur l'herbe. Sans réfléchir, Ariane se dirige pieds nus vers cet objet bizarre et attirant. Puis, une espèce de nain la prend par la main et la fait entrer dans le véhicule...

Textes d'Henriette Major

Le premier texte te donne de l'information sur ces objets, alors que le second te raconte une histoire.

19.1 Les textes littéraires

Pour écrire un texte littéraire, on laisse aller son imagination et on crée, à l'aide des mots, quelque chose de toutes pièces.

1. Le roman, la pièce de théâtre, la bande dessinée, le conte et la fable sont des textes pour raconter des histoires.

Textes pour raconter des histoires	Principales caractéristiques
Le **roman** est un récit assez long qui peut se passer dans un univers réel ou imaginaire.	• Personnage principal et personnages secondaires • Temps passé, présent ou futur
La **pièce de théâtre** est un récit écrit pour être joué sur scène, devant un public.	• Dialogue entre des personnages
La **bande dessinée** est un récit raconté à l'aide d'une suite de dessins.	• Vignettes • Phylactères • Onomatopées

• • •

Voici un exemple de bande dessinée.

Onomatopée

Phylactère

Quelle étrange lumière !

...BBRRRRRR...

Vignette

(SUITE)

Textes pour raconter des histoires	Principales caractéristiques
Le **conte** est un court récit imaginaire qui contient des éléments magiques ou merveilleux.	• Temps passé (Ex. : *Il était une fois…*)
La **fable** est un court récit imaginaire qui contient une morale.	• Personnages (souvent deux animaux)

Voici une fable écrite par Jean de La Fontaine.

Personnages ⟶ Le Corbeau et le Renard

Maître Corbeau, sur un arbre perché,
Tenait en son bec un fromage.
Maître Renard, par l'odeur alléché,
Lui tint à peu près ce langage:
«Hé! bonjour, monsieur du Corbeau.
Que vous êtes joli! que vous me semblez beau! […]»
À ces mots le Corbeau ne se sent pas de joie;
Et pour montrer sa belle voix,
Il ouvre un large bec, laisse tomber sa proie.
Le Renard s'en saisit, et dit: «Mon bon monsieur,
Apprenez que tout flatteur
Vit aux dépens de celui qui l'écoute: ⎫ Morale
Cette leçon vaut bien un fromage, sans doute.» ⎭
Le Corbeau, honteux et confus,
Jura, mais un peu tard, qu'on ne l'y prendrait plus.

2. Le poème, la chanson et la comptine sont des textes dans lesquels on joue avec les mots.

Textes pour jouer avec les mots	Principales caractéristiques
Le **poème** est un texte qui permet de créer des images, d'exprimer des sentiments, des impressions ou des idées.	• Vers (ligne) • Rime (répétition d'un son à la fin de deux ou plusieurs vers)
La **chanson** est un poème qui est chanté.	• Refrain • Couplet
La **comptine** est un poème chanté ou récité.	• Rythme

Voici un exemple de poème.

Vent du nord

Vers → Fric et frac, ← Rime
bois qui craque. ←
Vent du nord,
souffle moins fort.

Feuilles trouées,
feuilles fripées.
Vent du nord,
souffle moins fort.

File et fuis,
va-t'en d'ici.
Vent du nord,
moi, je m'endors.

© Cécile Gagnon.

19.2 Les textes courants

On écrit un texte courant dans le but de donner une explication, une description, une marche à suivre ou une opinion sur un sujet.

1. Certains textes courants servent à donner des explications sur un fait ou un phénomène afin de le faire comprendre.

Textes pour donner des explications	Exemples
Le manuel scolaire	Un texte, compris dans un manuel scolaire, qui explique pourquoi le peuple iroquoien se déplaçait en canot ou en raquettes.
L'article de revue scientifique	Un texte qui explique pourquoi il y a des tremblements de terre.
L'article d'encyclopédie	Un texte qui explique pourquoi le castor a une queue plate.

Voici un exemple d'article d'encyclopédie.

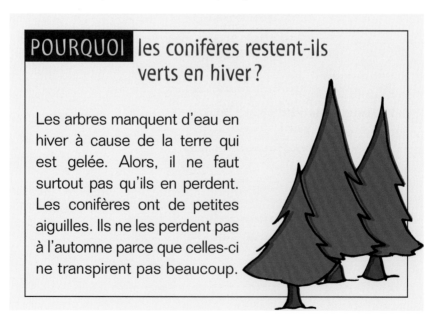

POURQUOI les conifères restent-ils verts en hiver ?

Les arbres manquent d'eau en hiver à cause de la terre qui est gelée. Alors, il ne faut surtout pas qu'ils en perdent. Les conifères ont de petites aiguilles. Ils ne les perdent pas à l'automne parce que celles-ci ne transpirent pas beaucoup.

2. Certains textes courants servent à donner des descriptions de personnes, d'animaux, d'objets, d'événements, etc.

Textes pour donner des descriptions	Exemples
Le compte rendu	Un texte qui décrit un événement, comme un match de soccer.
L'ouvrage documentaire	Un texte qui décrit une personne ou un personnage.

Voici un extrait d'ouvrage documentaire.

MARC GAGNON

Marc Gagnon est né à Chicoutimi en 1975. Dès l'âge de trois ans, il commence à faire du patinage de vitesse. Entre 1994 et 2002, Marc Gagnon gagnera cinq médailles olympiques en patinage de vitesse, dont trois aux Jeux olympiques de Salt Lake City en 2002. Il est alors devenu l'athlète canadien ayant reçu le plus grand nombre de médailles aux Jeux olympiques d'hiver.

3. Certains textes courants servent à donner des instructions.
Ils disent comment faire quelque chose.

Textes pour donner des instructions	Exemples
Les règles d'un jeu	Un texte qui dit comment jouer à un jeu de société.
Les consignes	Un texte qui dit comment faire une activité en anglais.
La recette	Un texte qui dit comment faire des biscuits au chocolat.

Voici un exemple de recette.

Potion magique de la sorcière

INGRÉDIENTS

– 500 ml de jus d'ananas

– 500 ml de jus d'orange

– 500 ml de boisson gazeuse claire ou d'eau minérale

– des tranches d'orange et des cerises pour décorer

MARCHE À SUIVRE

1° Mélanger les liquides.

2° Verser dans un bol ou dans une citrouille bien vidée.

3° Décorer avec des cerises et des tranches d'orange, puis ajouter des pailles pour boire.

4. D'autres textes courants servent à exprimer une opinion sur un sujet et à convaincre les lecteurs.

Textes pour convaincre les lecteurs	Exemples
Le message publicitaire	Un texte qui présente une nouvelle sorte de yogourt.
L'invitation	Un texte qui annonce un spectacle de magie et incite à aller le voir.

Voici un exemple d'invitation.

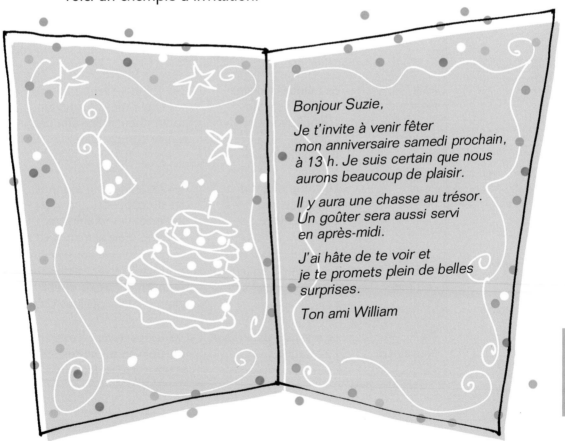

Bonjour Suzie,

Je t'invite à venir fêter mon anniversaire samedi prochain, à 13 h. Je suis certain que nous aurons beaucoup de plaisir.

Il y aura une chasse au trésor. Un goûter sera aussi servi en après-midi.

J'ai hâte de te voir et je te promets plein de belles surprises.

Ton ami William

Je révise mon parcours…
sur les genres de textes

◎ **Textes littéraires**

Pour raconter…	– Le roman – La pièce de théâtre – La bande dessinée – Le conte – La fable
Pour jouer avec les mots	– Le poème – La chanson – La comptine

◎ **Textes courants**

Pour expliquer…	– Le manuel scolaire – L'article de revue scientifique – L'article d'encyclopédie	Ces textes servent à donner des explications sur un fait ou un phénomène afin de le faire comprendre.
Pour décrire…	– Le compte rendu – L'ouvrage documentaire	Ces textes servent à donner des descriptions de personnes, d'animaux, d'objets, d'événements, etc.
Pour dire comment faire…	– Les règles d'un jeu – Les consignes – La recette	Ces textes servent à donner des instructions. Ils disent comment faire quelque chose.
Pour convaincre…	– Le message publicitaire – L'invitation	Ces textes servent à exprimer une opinion sur un sujet et à convaincre les lecteurs.

CHAPITRE 20

La construction d'un texte

Avant d'écrire un texte, on doit se demander dans quel but on veut l'écrire. Est-ce pour raconter une histoire ? Est-ce pour exprimer une opinion ?

Lis le texte suivant, dans lequel Henriette Major te raconte une histoire.

Roméo

Roméo est le chat de ma petite-fille. C'est un beau chat tigré. Je l'ai eu comme pensionnaire pendant que Marion était en vacances.

Je l'aimais bien, Roméo. Par contre, je ne savais pas comment il allait se comporter dans mon appartement. Il a commencé par grimper sur les fauteuils et sur le téléviseur. Puis, il a fini par adopter un fauteuil.

Une nuit, Roméo m'a réveillée. Il jouait avec un collier que j'avais laissé sur une table. J'ai rangé le collier et j'ai couché le chat sur mon lit. Après, ce sont ses ronronnements qui m'ont tenue réveillée !

Texte d'Henriette Major

Dans ce chapitre, tu découvriras quels sont les éléments essentiels d'un texte et quelles sont les étapes à suivre pour en construire un.

20.1 La présentation d'un texte

La façon de présenter un texte peut en faciliter la lecture.
Quand on survole un texte, plusieurs éléments aident à
le comprendre ou à trouver rapidement l'information recherchée.

Ex. :

Le **titre**
annonce
le sujet
du texte.

Le koala

Le koala est un mammifère qui peut mesurer
de 60 à 85 cm. Il a un pelage doux et épais
de couleur grise. En fait, il ressemble à un petit
ours avec de grandes oreilles, mais sans queue.

Excellent grimpeur, il vit dans les arbres et
ne descend au sol que pour aller d'un arbre à
l'autre. Il dort même dans les arbres, bien agrippé
aux branches.

Chaque
paragraphe
compte
un certain
nombre
de phrases
qui
développent
une même
idée.

Le koala se nourrit de feuilles d'eucalyptus.
Il ne boit pas une goutte d'eau. Sa ration de liquide
provient seulement de l'eucalyptus.

La femelle koala n'a
qu'un petit par an.
À la naissance,
le bébé a la taille
d'une abeille.
Il reste donc
dans la poche de
sa mère pendant
six mois pour
se développer.
Ensuite, il se fait
promener sur le dos
de sa mère pendant un an. ■

L'illustration
permet
de montrer
ce qui est
décrit en mots
dans le texte.

20.2 La planification d'un texte

Le texte est une suite de phrases qui a du sens. Pour qu'un texte soit facile à comprendre, les idées qu'il contient doivent être organisées.

Voici comment bien planifier la rédaction d'un texte.

Procédure pour planifier la rédaction d'un texte	Exemples
1° Choisis un sujet.	*Le carnaval d'hiver de l'école.*
2° Précise le but de ton texte.	*Convaincre les élèves de participer au carnaval.*
3° Choisis le genre de ton texte.	*L'affiche publicitaire (texte courant).*
4° Choisis la ou les personnes à qui s'adressera ton texte.	*Les camarades de classe.*
5° Écris toutes les idées qui te viennent en tête.	*– Activités : sculpture sur glace, patinage, glissade.* *– Dates du carnaval.* *– Plaisir pour tous pendant deux jours.* *– Lieu du carnaval.*
6° Regroupe et organise tes idées selon le genre de texte que tu as choisi.	***Introduction*** *Dates et lieu du carnaval.* ***Développement*** *Activités : sculpture sur glace, patinage, glissade.* ***Conclusion*** *Plaisir pour tous pendant deux jours.*

20.3 Le schéma du récit

On appelle «schéma du récit» la façon d'organiser un texte littéraire qui raconte une histoire. Voici le schéma du récit en trois temps.

Schéma du récit en trois temps

1. Début
L'arrivée d'un problème (ce qui se passe au début de l'histoire).

2. Milieu
Les actions accomplies pour régler le problème.

3. Fin
La solution du problème (ce qui se passe à la fin de l'histoire).

Ex. :

La tache

1. Début

Dehors, il pleuvait. Je me suis installé à la table du salon pour faire de la peinture. Ma chatte a tout à coup sauté du piano sur la table. Elle a renversé le pot de peinture rouge. Et moi qui avais oublié d'ôter la nappe !

2. Milieu

Ma mère était partie magasiner. Il fallait nettoyer cette tache avant son retour. J'ai couru à la cuisine chercher des essuie-tout, de l'eau et du savon. Rien à faire. Le rouge avait à peine pâli. À cause de l'eau, la tache semblait encore plus grande.

3. Fin

À ce moment-là, mon père a proposé de m'aider. Il a mis la nappe dans la laveuse. Puis, il m'a dit que c'était de la peinture à l'eau et que la tache allait disparaître. Ma mère, qui revenait de faire ses courses, nous a dit : «Regardez la belle nappe rouge que j'ai achetée pour la table du salon !»

Voici le schéma du récit en cinq temps. Pour découper facilement chacune des parties, on répond à une ou des questions.

Schéma du récit en cinq temps

1. Situation de départ

- Qui est le personnage principal ?
- Où se passe l'histoire ?
- Quand se passe l'histoire ?
- Dans quelle situation se trouve le personnage principal au début de l'histoire ?

2. Élément déclencheur

Quel élément vient changer la situation de départ (danger, obstacle, surprise, nouveau personnage, etc.) ?

3. Péripéties

- Quel est le problème ou quels sont les problèmes causés par l'élément déclencheur ?
- Que fait le personnage principal pour résoudre ce ou ces problèmes ?

4. Dénouement

- Le personnage principal réussit-il, oui ou non, à résoudre le ou les problèmes ?
- Si oui, de quelle façon ? Sinon, pourquoi ?

5. Situation finale

Comment se termine l'histoire ?

Voici un exemple de récit en cinq temps.

L'oisillon

1. Situation de départ

Ce matin, Marianne se promène dans le jardin pour y cueillir des fleurs.

2. Élément déclencheur

Tout à coup, à ses pieds, elle entend un faible piaillement. Elle baisse les yeux et découvre un tout petit oiseau qui bat de l'aile. Elle se penche et constate qu'il a une aile brisée. C'est peut-être un bébé tombé du nid.

3. Péripéties

Aussitôt, elle court à la maison chercher une boîte vide pour y mettre l'oiseau blessé. Elle met un peu de ouate dans le fond et retourne au jardin. Elle place l'oiseau dans la boîte et le rapporte à la maison.

1re péripétie

Ensuite, elle va chercher un bol d'eau pour donner à boire à l'oiseau, mais celui-ci refuse d'ouvrir le bec. Peut-être souffre-t-il beaucoup...

2e péripétie

4. Dénouement

Au bout d'un moment, la mère de Marianne descend à la cuisine. Marianne la supplie de sauver l'oiseau. Il faut faire quelque chose ! C'est ainsi que la maman propose à Marianne d'emmener l'oiseau chez le vétérinaire.

5. Situation finale

« Ouf ! Quelle bonne idée ! » dit Marianne, qui respire déjà un peu mieux.

20.4 Le plan du texte courant

Les textes courants sont généralement divisés en trois parties.
Voici le plan du texte courant.

1. Introduction	**2. Développement**	**3. Conclusion**
Présente ton sujet.	Présente tes différentes idées.	• Résume ton développement. • Présente une nouvelle idée.

Ex. :

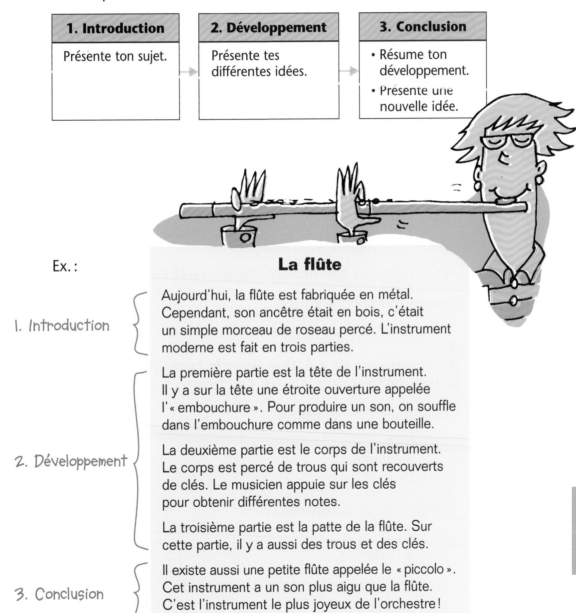

La flûte

I. Introduction

Aujourd'hui, la flûte est fabriquée en métal. Cependant, son ancêtre était en bois, c'était un simple morceau de roseau percé. L'instrument moderne est fait en trois parties.

2. Développement

La première partie est la tête de l'instrument. Il y a sur la tête une étroite ouverture appelée l'« embouchure ». Pour produire un son, on souffle dans l'embouchure comme dans une bouteille.

La deuxième partie est le corps de l'instrument. Le corps est percé de trous qui sont recouverts de clés. Le musicien appuie sur les clés pour obtenir différentes notes.

La troisième partie est la patte de la flûte. Sur cette partie, il y a aussi des trous et des clés.

3. Conclusion

Il existe aussi une petite flûte appelée le « piccolo ». Cet instrument a un son plus aigu que la flûte. C'est l'instrument le plus joyeux de l'orchestre !

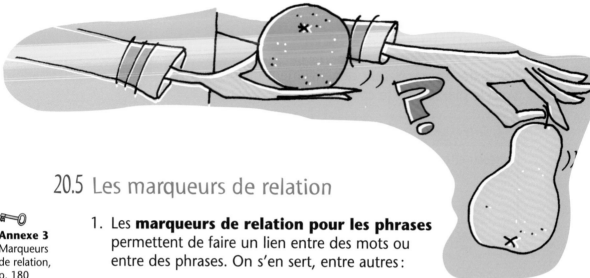

20.5 Les marqueurs de relation

Annexe 3
Marqueurs
de relation,
p. 180

1. Les **marqueurs de relation pour les phrases** permettent de faire un lien entre des mots ou entre des phrases. On s'en sert, entre autres :

    – pour exprimer un **choix** ;

    Ex. : *Veux-tu une orange **ou** une poire ?*

    – pour indiquer une **addition** ;

    Ex. : *J'aimerais bien manger une pomme **et** du fromage.*

    – pour exprimer une **cause.**

    Ex. : *Je vais aller à l'épicerie, **car** nous n'avons plus de lait.*

2. Les **marqueurs de relation pour le texte** permettent de faire des liens dans le texte. On s'en sert :

    – pour situer dans le **temps** ;

    Ex. : *Hier…*
    Aujourd'hui…
    Demain…

    – pour situer dans l'**espace** ;

    Ex. : *À l'intérieur…*
    À l'extérieur…

    – pour indiquer l'**ordre des événements.**

    Ex. : *Premièrement…*
    Deuxièmement…
    Troisièmement…

Je révise mon parcours...
sur la construction d'un texte

◎ Quand on survole un texte, plusieurs éléments (titre, paragraphes, illustrations) aident à le comprendre ou à trouver rapidement l'information recherchée.

◎ Avant de rédiger un texte, il est important de faire un plan. Voici comment bien planifier la rédaction d'un texte.

1° Choisir son sujet.

2° Préciser le but de son texte.

3° Choisir le genre de son texte.

4° Choisir la ou les personnes à qui s'adressera son texte.

5° Écrire toutes ses idées.

6° Regrouper et organiser ses idées.

◎ On appelle «schéma du récit» la façon d'organiser un texte littéraire qui raconte une histoire.

Schéma du récit en trois temps	Schéma du récit en cinq temps
1. Début 2. Milieu 3. Fin	1. Situation de départ 2. Élément déclencheur 3. Péripéties 4. Dénouement 5. Situation finale

◎ Les textes courants sont généralement divisés en trois parties.

1. Introduction

2. Développement

3. Conclusion

◎ Les marqueurs de relation pour les phrases permettent de faire un lien entre des mots ou entre des phrases.

◎ Les marqueurs de relation pour le texte permettent de faire des liens dans le texte.

CHAPITRE 21

Les mots substituts

Afin de ne pas toujours répéter les mêmes mots dans un texte, on utilise des mots substituts. Ces mots reprennent d'autres mots déjà mentionnés dans le texte.

Dans ce texte documentaire, les mots en gras sont des mots substituts.

Les papillons

Les papillons sont des insectes ailés. **Ils** ont des ailes à l'âge adulte, après des transformations qui les font passer de chenille à papillon. On croit les ailes des papillons recouvertes de poussière. En réalité, **cette poudre** est constituée de fines écailles. Ces écailles se chevauchent ; **elles** sont comme les tuiles d'un toit.

Toucher un papillon, c'est le priver de ses écailles et le rendre très vulnérable. Laissons en paix ces jolies fleurs volantes !

Texte d'Henriette Major

Dans ce texte :

– *Ils* reprend *Les papillons* ;

– *cette poudre* reprend *poussière* ;

– *elles* reprend *Ces écailles*.

21.1 Les pronoms

La plupart des pronoms sont des **mots substituts.** Ils servent à reprendre un mot ou un groupe de mots dans un texte.

Les pronoms *il, elle, ils* et *elles* sont souvent utilisés comme mots substituts dans les textes.

Mots substituts	Exemples
Pronoms personnels il / elle	pron. **La chenille** doit fabriquer son cocon, car **elle** en a besoin pour se transformer en papillon.
ils / elles	pron. **Des papillons** volaient d'une fleur à l'autre. **Ils** semblaient chercher la plus délicieuse.

21.2 Les synonymes

Dans un texte, on utilise aussi les synonymes comme **mots substituts.** Grâce aux synonymes, on évite de toujours répéter le même mot. En voici quelques exemples.

Annexe 4
Synonymes et antonymes,
p. 182

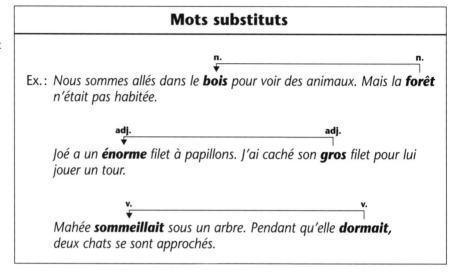

Mots substituts

Ex.: *Nous sommes allés dans le* **bois** *pour voir des animaux. Mais la* **forêt** *n'était pas habitée.*

Joé a un **énorme** *filet à papillons. J'ai caché son* **gros** *filet pour lui jouer un tour.*

Mahée **sommeillait** *sous un arbre. Pendant qu'elle* **dormait***, deux chats se sont approchés.*

21.3 Les groupes de mots

Un groupe de mots peut être un **groupe substitut.** Il s'agit souvent d'un groupe du nom (GN).

Ex. : *Des loups poussaient* **des hurlements** *à la lune.* **Les cris** *étaient si forts que tous les campeurs se sont réveillés.*

Je révise mon parcours...
sur les mots substituts

◎ La plupart des pronoms sont des mots substituts. Ils servent à reprendre un mot ou un groupe de mots dans un texte.

◎ Dans un texte, on utilise aussi les synonymes comme mots substituts. Grâce aux synonymes, on évite de toujours répéter le même mot.

◎ Un groupe de mots peut être un groupe substitut. Il s'agit souvent d'un groupe du nom (GN).

9ᵉ

PARTIE

ANNEXES

1. Préfixes et suffixes

1.1 Préfixes

Un préfixe est un élément placé au début d'un mot pour former un autre mot.

Ex. : *litre* → **centi***litre*

Voici la liste des principaux préfixes et leur sens.

Préfixes	Sens	Exemples
aéro-	air	**aéro***port*, **aéro***spatial*
anti-	contre	**anti***bruit*, **anti***rouille*
archi-	très	**archi***fou*, **archi***facile*
auto-	de soi-même	**auto***mobile*, **auto***collant*
bi-	deux	**bi***moteur*, **bi***national*
centi-	centième	**centi***litre*, **centi***mètre*
ciné-	cinéma	**ciné***-club*, **ciné***-parc*
co-	avec	**co***président*, **co***habitation*
contre-	opposition	**contre***-attaque*, **contre***-poison*
dé-, dés-	inverse	**dé***faire*, **dés***agréable*
en-, em-	dans	**en***cercler*, **em***murer*
ex-	qui a été	**ex***-directrice*, **ex***-joueur*
franco-	français	**franco***-américain*, **franco***-manitobaine*
in-	pas	**in***certain*, **in***comprise*
kilo-	mille	**kilo***mètre*, **kilo***gramme*

• • •

Préfixes	Sens	Exemples
mal-	manque	**mal**adresse, **mal**propre
mi-	moitié	**mi**-février, **mi**nuit
micro-	petit	**micro**-ondes, **micro**climat
milli-	millième	**milli**mètre, **milli**litre
mini-	plus petit	**mini**bus, **mini**chaîne
mono-	seul	**mono**place, **mono**moteur
multi-	plusieurs	**multi**colore, **multi**forme
non-	négation	**non**-fumeur, **non**-violence
para-	qui protège	**para**pluie, **para**vent
pré-	avant	**pré**nom, **pré**avis
pro-	plus loin	**pro**mener, **pro**jeter
re-, r-, ré-	répétition	**re**dire, **r**attacher, **ré**écrire
sous-	en dessous	**sous**-sol, **sous**-verre
super-	supérieur	**super**grand, **super**marché
sur-	au-dessus	**sur**voler, **sur**élever
télé-	à distance	**télé**vision, **télé**guider
tri-	trois	**tri**angle, **tri**cycle

1.2 Suffixes

Un suffixe est un élément placé à la fin d'un mot pour former un autre mot.

Ex. : *patin* → *patin**oire***

Voici la liste des principaux suffixes et leur sens.

Suffixes d'adjectifs	Sens	Exemples
-able **-ible**	possibilité	*aim**able*** *lis**ible***
-al / -ale	qui se rapporte à	*fin**al** / fin**ale***
-âtre	ressemblance	*brun**âtre**, rouge**âtre***
-u / -ue	qui a	*poil**u** / poil**ue***

Suffixes de noms	Sens	Exemples
-ade	action	*gliss**ade**, promen**ade***
-age	action	*chauff**age**, jardin**age***
-aine	groupe de	*douz**aine**, vingt**aine***
-eau **-on**	petit d'un animal	*éléphant**eau*** *chat**on***
-ée	quantité	*pinc**ée**, bouch**ée***
-ence	ce qui est	*excell**ence**, néglig**ence***

(SUITE)

Suffixes de noms	Sens	Exemples
-eraie	plantation	*pommeraie, orangeraie*
-erie	lieu d'une activité	*épicerie, sucrerie*
-et *-ette*	petit	*bâtonnet* *clochette*
-eur	caractéristique	*grandeur, hauteur*
-eur *-euse*	appareil ou machine	*brûleur* *tondeuse*
-eur / -euse	qui fait une action	*chanteur / chanteuse*
-ier	qui produit	*pommier, poirier*
-ien / -ienne *-ier / -ière* *-er / -ère* *-iste*	qui s'occupe de	*comédien / comédienne* *épicier / épicière* *boulanger / boulangère* *dentiste*
-ité *-té*	qualité	*égalité* *fierté*
-oir *-oire*	qui sert à	*arrosoir* *patinoire*
-teur / -trice	qui fait une action	*inventeur / inventrice*
-tion	action ou résultat d'une action	*inspection, invention*
-ure	action ou résultat d'une action	*écriture, friture*

Suffixes de noms et d'adjectifs	Sens	Exemples	
-ain / -aine -ais / -aise -ois / -oise -ien / -ienne	origine	**NOMS PROPRES** Afric**aine** Montréal**ais** Chin**oise** Gaspés**ien**	**ADJECTIFS** afric**ain** montréal**aise** chin**ois** gaspés**ienne**
-ent / -ente	caractéristique	excell**ent** / excell**ente**	
	qui fait une action	présid**ent** / présid**ente**	
-eur / -euse	qui fait une action	saut**eur** / saut**euse**	
-eux / -euse -ieux / -ieuse	caractéristique	peur**eux** / peur**euse** silenc**ieux** / silenc**ieuse**	
-ième	rang	deux**ième**, trois**ième**	
-if / -ive	qui fait une chose	créat**if** / créat**ive**	
-ique	art ou science	informat**ique** / robot**ique**	

Suffixe d'adverbes	Sens	Exemples
-**ment**	manière	*lente**ment**, rapide**ment***

Suffixes de verbes	Sens	Exemples
-**er** -**ier**	action	*aim**er*** *multipl**ier***
-**ir**	action	*bât**ir**, roug**ir***

2. Vocabulaire par thèmes

Tu peux utiliser le vocabulaire par thèmes en situation d'écriture pour enrichir un texte ou encore pour mieux préparer une communication orale.

Thème 1 – Personnes

Mot-clé ────→

Chaque mot en italique est un synonyme du mot-clé.

Noms	Adjectifs	Expressions
bébé n. m.		
nouveau-né	adorable	• adopter un bébé
poupon	joufflu	• allaiter un bébé
berceau	maussade	• bercer un bébé
biberon	mignon	• caresser un bébé
comptine	pleurnicheur	• endormir un bébé
gazouillis	potelé	• pleurer comme un bébé
enfant n. m. et f.		
bambin / bambine	coquin / coquine	• adopter un enfant
petit garçon / petite fille	enjoué / enjouée	• attendre un enfant
école	espiègle	• avoir des enfants
jeu	gâté / gâtée	• cajoler un enfant
parc	sage	• élever un enfant
récréation	turbulent / turbulente	• garder un enfant
adolescent n. m. / **adolescente** n. f.		
ado	débrouillard / débrouillarde	• comprendre un adolescent
jeune garçon / jeune fille	rebelle	• devenir un adolescent
amitié	rêveur / rêveuse	• écouter un adolescent
idole	romantique	• féliciter un adolescent
mode	sportif / sportive	• motiver un adolescent
musique	studieux / studieuse	• orienter un adolescent
sortie		
adulte n. m. et f. (ou adj.)		
homme / femme	aimant / aimante	• atteindre l'âge adulte
monsieur / madame	autoritaire	• demander conseil à un adulte
père / mère	patient / patiente	• être adulte
travail	responsable	

• • •

Noms	Adjectifs	Expressions

vieillard n. m. / vieille n. f. (ou adj.)

Noms	Adjectifs	Expressions
personne âgée	aimable	• aider un vieillard
bonté	centenaire	• accompagner
canne	courbé / courbée	un vieillard
grand-père /	digne	• s'occuper d'un vieillard
grand-mère	frêle	• soigner un vieillard
rides	respectable	• veiller sur un vieillard
sagesse	sympathique	• visiter un vieillard

famille n. f.

Noms	Adjectifs	Expressions
cousin / cousine	adoptive	• appartenir à une famille
enfant	ancienne	• élever une famille
fils / fille	élargie	• être en famille
frère / sœur	grande	• faire partie de la famille
grand-père /	modeste	• fêter en famille
grand-mère	monoparentale	• fonder une famille
grands-parents	nombreuse	• nourrir sa famille
mari / femme	pauvre	• quitter sa famille
neveu / nièce	recomposée	• recevoir sa famille
oncle / tante	riche	• revoir sa famille
parents	royale	• se réunir en famille
père / mère	unie	• visiter sa famille

ami n. m. / amie n. f.

Noms	Adjectifs	Expressions
camarade	bon / bonne	• avoir un ami
compagnon / compagne	dévoué / dévouée	• jouer avec un ami
affection	fidèle	• partager avec un ami
amitié	meilleur / meilleure	• rendre service à un ami
camaraderie	sincère	• revoir un bon ami
complicité	véritable	• trahir un ami

Occupations et fonctions des personnes

architecte, artiste, astronome, athlète, avocat / avocate, bénévole, boulanger / boulangère, chirurgien / chirurgienne, cuisinier / cuisinière, danseur / danseuse, écolier / écolière, écrivain / écrivaine, élève, enseignant / enseignante, épicier / épicière, facteur / factrice, fermier / fermière, ingénieur / ingénieure, jardinier / jardinière, journaliste, juge, mécanicien / mécanicienne, médecin, menuisier / menuisière, moniteur / monitrice, musicien / musicienne, pêcheur / pêcheuse, peintre, pharmacien / pharmacienne, policier / policière, scientifique

Thème 2 – Personnages

Noms	Adjectifs	Expressions
chevalier n. m.		
noble	brave	• le chevalier affronte
seigneur	courageux	• le chevalier chevauche
arme	héroïque	• le chevalier combat
armure	invincible	• le chevalier guerroie
cheval	loyal	• le chevalier triomphe
combat	médiéval	• bénir un chevalier
dragon	noble	• décorer un chevalier
épée	servant	• être sacré chevalier
prouesse	vaillant	• jouer au chevalier
extraterrestre n. m. et f.		
créature	androïde	• communiquer avec
cosmos	fictif / fictive	un extraterrestre
espace	étrange	• croire aux
galaxie	galactique	extraterrestres
Martien / Martienne	humanoïde	• être enlevé par
ovni	intergalactique	un extraterrestre
planète	mystérieux /	• rencontrer un
soucoupe	mystérieuse	extraterrestre
vaisseau	spatial / spatiale	• voir un extraterrestre
fée n. f.		
baguette	belle	• la fée apparaît
carrosse	bienfaisante	• la fée disparaît
clochette	bonne	• la fée ensorcelle
conte	généreuse	• la fée flotte
dents	laide	• la fée transforme
don	méchante	• travailler comme
palais	minuscule	une fée
royaume	vieille	• vivre un conte de fées
monstre n. m.		
cyclope	abominable	• le monstre apeure
dragon	affreux	• le monstre effraye
griffon	bizarre	• le monstre menace
laideur	fabuleux	• le monstre terrifie
peur	hideux	• tuer un monstre
terreur	horrible	• vaincre un monstre

Noms	Adjectifs	Expressions

ogre n. m. / ogresse n. f.

Noms	Adjectifs	Expressions
géant / géante	effrayant / effrayante	• dévorer comme
appétit	féroce	un ogre
enfant	gigantesque	• manger comme
repas	terrifiant / terrifiante	un ogre

pirate n. m.

Noms	Adjectifs	Expressions
corsaire	avide	• le pirate coule les navires
bateau	balafré	• le pirate erre de mer
crochet	borgne	en mer
jambe de bois	cruel	• le pirate pille les navires
mer	dangereux	• le pirate sillonne
trésor	rapace	les mers

prince n. m. / princesse n. f.
roi n. m. / reine n. f.

Noms	Adjectifs	Expressions
Majesté	amoureux /	• le roi domine
Altesse	amoureuse	• le roi gouverne
château	beau / belle	• le roi protège
cour	conquérant /	• le roi règne
couronne	conquérante	• le roi sauve
forteresse	digne	• couronner un roi
héritier / héritière	généreux / généreuse	• détrôner un roi
règne	honnête	• sacrer un roi
royaume	malhonnête	• servir le roi
sceptre	puissant / puissante	• trahir le roi
trône	tyrannique	• Vive le roi!

magicien n. m. / magicienne n. f.
sorcier n. m. / sorcière n. f.

Noms	Adjectifs	Expressions
mage	célèbre	• le magicien change
baguette	enchanteur /	• le magicien charme
chaudron	enchanteresse	• le magicien enchante
grimoire	étrange	• le magicien ensorcelle
magie	fantastique	• le magicien envoûte
potion	maléfique	• le magicien
poudre de	méchant / méchante	métamorphose
perlimpinpin	mystérieux /	• le magicien
sort	mystérieuse	transforme

Thème 3 – Portrait physique

Noms	Adjectifs	Expressions

tête n. f.

Noms	Adjectifs	Expressions
crâne	blanche	• branler la tête
bosse	chauve	• se casser la tête
cerveau	grosse	• se creuser la tête
oreille	petite	• hocher la tête
tempe	ronde	• tourner la tête

visage n. m.

Noms	Adjectifs	Expressions
face	angélique	• le visage se crispe
figure	bronzé	• le visage se détend
front	expressif	• couvrir son visage
joue	joufflu	• laver son visage
menton	ridé	• maquiller son visage

œil n. m. s. / yeux n. m. pl.

Noms	Adjectifs	Expressions
aveugle	brillants	• les yeux brillent
cils	cernés	• cligner de l'œil
larmes	doux	• essuyer les yeux
paupières	pétillants	• fermer les yeux
sourcils	rieurs	• loucher d'un œil
vue	tristes	• ouvrir l'œil

nez n. m.

Noms	Adjectifs	Expressions
bout	crochu (aquilin)	• boucher son nez
bouton	droit	• moucher son nez
narines	long	• pincer son nez
odorat	pointu	• respirer par le nez
parfum	retroussé	• saigner du nez

bouche n. f.

Noms	Adjectifs	Expressions
dents	édentée	• avoir l'eau à la bouche
goût	entrouverte	• embrasser sur la bouche
langue	gourmande	• fermer la bouche
lèvres	ouverte	• ouvrir la bouche
mâchoires	petite	• porter à sa bouche
sourire	souriante	• rincer sa bouche

• • •

Noms	Adjectifs	Expressions

cheveux n. m. pl.

Noms	Adjectifs	Expressions
coiffure	courts	• brosser les cheveux
couleur	frisés	• couper les cheveux
mèche	longs	• laver les cheveux
toupet	raides	• tirer les cheveux

corps n. m.

Noms	Adjectifs	Expressions
forme	gros	• le corps transpire
mouvement	maigre	• le corps tremble
os	raide	• couvrir son corps
peau	souple	• laver son corps

bras n. m.

Noms	Adjectifs	Expressions
aisselle	ballant	• baisser les bras
avant-bras	cassé	• donner le bras
coude	droit	• se jeter dans les bras
épaule	gauche	• ouvrir les bras
poignet	musclé	• porter dans les bras

main n. f.

Noms	Adjectifs	Expressions
annulaire	droite	• donner un coup de main
auriculaire	froide	• fermer la main
index	gauche	• joindre les mains
majeur	propre	• tendre la main
pouce	sale	• tenir par la main

jambe n. f.

Noms	Adjectifs	Expressions
cheville	artificielle	• avoir des fourmis
cuisse	belle	dans les jambes
genou	engourdie	• croiser les jambes
hanche	longue	• se dégourdir les jambes
mollet	paralysée	• étendre les jambes

pied n. m.

Noms	Adjectifs	Expressions
orteil	gelé	• essuyer ses pieds
plante	large	• perdre pied
pointe	mince	• se remettre sur pied
talon	plat	• sauter à pieds joints

Thème 4 – Portrait moral

Noms	Adjectifs	Expressions
qualité n. f.		
adresse	adroit / adroite	• apprécier une qualité
courage	courageux /	chez quelqu'un
	courageuse	• avoir de belles qualités
débrouillardise	débrouillard /	• avoir le défaut de
	débrouillarde	sa qualité
franchise	franc / franche	• avoir peu de qualités
générosité	généreux / généreuse	• faire valoir les qualités
gentillesse	gentil / gentille	de quelqu'un
honnêteté	honnête	• gâter de belles qualités
ponctualité	ponctuel / ponctuelle	• reconnaître les qualités
serviabilité	serviable	de quelqu'un

Noms	Adjectifs	Expressions
défaut n. m.		
bavardage	bavard / bavarde	• avoir de nombreux
colère	coléreux / coléreuse	défauts
égoïsme	égoïste	• avouer ses défauts
gourmandise	gourmand /	• couvrir les défauts
	gourmande	de quelqu'un
lâcheté	lâche	• découvrir les défauts
maladresse	maladroit /	de quelqu'un
	maladroite	• excuser un défaut
mensonge	menteur / menteuse	• n'avoir aucun défaut
paresse	paresseux /	• pardonner un défaut
	paresseuse	• reprocher ses défauts
tricherie	tricheur / tricheuse	à quelqu'un

Noms	Adjectifs	Expressions
caractère n. m.		
détermination	agréable	• affermir un caractère
douceur	autoritaire	• avoir du caractère
fermeté	bon	• avoir un bon caractère
formation	difficile	• avoir un mauvais
humeur	docile	caractère
manie	inquiet	• changer un caractère
personnalité	maussade	• développer son
signe	renfermé	caractère
tempérament	rêveur	• être jeune de caractère
trait	taquin	• former son caractère
volonté	timide	• manquer de caractère

• • •

(SUITE)

Noms	Adjectifs	Expressions

sentiment n. m.

Noms	Adjectifs	Expressions
amitié	agréable	• cacher un sentiment
amour	beau	• éprouver un sentiment
angoisse	bon	• être insensible à
bonheur	confus	un sentiment
chagrin	contradictoire	• exprimer un sentiment
désespoir	cruel	• faire connaître
ennui	étrange	ses sentiments
espoir	fort	• faire naître un sentiment
gêne	grand	• inspirer un sentiment
haine	intérieur	• manifester ses
honte	maternel	sentiments à quelqu'un
inquiétude	mauvais	• partager les sentiments
jalousie	nouveau	de quelqu'un
joie	profond	• passer par des
peine	pur	sentiments variés
peur	tendre	• passer par toute la
plaisir	vague	gamme des sentiments
regret	vif	• rendre moins vifs
tristesse	vrai	les sentiments

pensée n. f.

Noms	Adjectifs	Expressions
cerveau	admirable	• avoir une pensée
compréhension	amère	• cacher sa pensée
connaissance	banale	• chasser une pensée
conscience	brillante	• dévoiler sa pensée
esprit	claire	• dire sa pensée
idée	confuse	• échanger des pensées
imagination	cruelle	• exprimer sa pensée
intelligence	déplaisante	• lire une pensée
jugement	enfantine	• mûrir une pensée
méditation	enjouée	• occuper la pensée
opinion	frivole	• se perdre dans
raison	grave	ses pensées
raisonnement	intéressante	• se réjouir à la pensée
réflexion	plaisante	de quelque chose
rêverie	secrète	• ruminer ses pensées
souvenir	triste	• trahir sa pensée

Thème 5 – Sports et loisirs

Noms	Adjectifs	Expressions
sport n. m.		

Noms	Adjectifs	Expressions
alpinisme	aérien	• s'adonner à un sport
athlétisme	amateur	• aimer un sport
aviron	amusant	• arbitrer un sport
badminton	athlétique	• se classer dans un sport
baseball	audacieux	• critiquer un sport
basketball	bon	• défendre un sport
bobsleigh	calme	• détester un sport
boxe	cher	• s'entraîner à un sport
course automobile	collectif	• exceller dans un sport
cyclisme	cycliste	• faire du sport
deltaplane	dangereux	• gagner dans un sport
équitation	équestre	• perdre dans un sport
escrime	estival	• persévérer dans
football	extérieur	un sport
golf	extrême	• pratiquer un sport
gymnastique	hivernal	d'équipe
haltérophilie	imposé	• se qualifier dans
handball	individuel	un sport
hockey	intérieur	
judo	international	
karaté	libre	
kayak	mécanique	
luge	national	
lutte	nautique	
natation	professionnel	
parachutisme	régional	
patinage	rude	
planche à roulettes	scolaire	
planche à voile	télévisé	
rugby	violent	
ski alpin		
ski de fond		
surf		
tennis		
voile		
volley-ball		

• • •

Noms	Adjectifs	Expressions
	loisir n. m.	
baignade	agréable	• les loisirs amusent
bricolage	amusant	• les loisirs distraient
canotage	artisanal	• les loisirs divertissent
cartes	calme	• s'adonner à un loisir
céramique	collectif	• avoir des loisirs
chasse	coûteux	• cesser de pratiquer
cinéma	créatif	un loisir
collection	délassant	• se consacrer à ses loisirs
couture	dirigé	• découvrir un loisir
croquet	distrayant	• délaisser un loisir
culturisme	divertissant	• organiser un loisir
curling	emballant	• partager ses loisirs
danse	ennuyeux	• profiter de ses loisirs
descente de rivière	estival	
échecs	fatigant	
escalade	hivernal	
herborisation	intellectuel	
jardinage	intéressant	
jeu	manuel	
jogging	modique	
lecture	musical	
marche	parascolaire	
motoneige	plaisant	
musique	récréatif	
pêche	reposant	
peinture	scientifique	
plongée sous-marine	solitaire	
poterie	tranquille	
quilles	trépidant	
randonnée		
raquette		
sculpture		
théâtre		

Thème 6 – Transports

Noms	Adjectifs	Expressions
	voiture n. f.	

Noms	Adjectifs	Expressions
auto	ancienne	• conduire une voiture
automobile	belle	• démarrer une voiture
autobus	confortable	• descendre d'une
autocar	décapotable	voiture
autoroute	électrique	• garer une voiture
avenue	louée	• réparer une voiture
boulevard	luxueuse	• rouler en voiture
bus	neuve	• attendre l'autobus
camion	remisée	• manquer l'autobus
route	rutilante	• monter dans l'autobus
rue	sportive	• prendre l'autobus
taxi	vieille	• voyager en autobus

Noms	Adjectifs	Expressions
	bicyclette n. f.	

Noms	Adjectifs	Expressions
vélo	bruyante	• aller à bicyclette
chaussée	étincelante	• enfourcher une
cyclomoteur	légère	bicyclette
motocyclette	lourde	• monter à bicyclette
piste cyclable	mixte	• rouler à bicyclette
rue	puissante	• conduire une
tandem	rapide	motocyclette
tricycle	sportive	• monter sur une
vélomoteur	tout-terrain	motocyclette

Noms	Adjectifs	Expressions
	train n. m.	

Noms	Adjectifs	Expressions
gare	complet	• attraper le train
locomotive	confortable	• descendre du train
quai	direct	• dormir dans un train
rails	lent	• manquer le train
station	local	• monter dans le train
TGV	moderne	• prendre le train
voie ferrée	postal	• rater le train
wagon	rapide	• regarder passer le train
wagon-restaurant	silencieux	• voyager en train

• • •

(SUITE)

Noms	Adjectifs	Expressions

bateau n. m.

Noms	Adjectifs	Expressions
navire	ancien	• amarrer un bateau
bâbord (gauche)	coulé	• ancrer un bateau
canot	flottant	• appareiller un bateau
chaloupe	gros	• charger un bateau
débarcadère	léger	• construire un bateau
embarcadère	long	• débarquer d'un bateau
pétrolier	luxueux	• décharger un bateau
port	moderne	• embarquer sur
quai	petit	un bateau
tribord (droite)	pneumatique	• mouiller un bateau
voilier	rapide	• mettre les voiles
yacht	traversier	• piloter un navire

avion n. m.

Noms	Adjectifs	Expressions
aérodrome	aérodynamique	• l'avion atterrit
aérogare	commercial	• l'avion décolle
aéronef	géant	• aller en avion
aéroplane	gros	• attendre l'avion
aéroport	international	• descendre de l'avion
chasseur	léger	• fabriquer un avion
gros-porteur	lourd	• louer un avion
héliport	militaire	• monter à bord
hydravion	petit	d'un avion
piste d'atterrissage	rapide	• piloter un avion
planeur	sonique	• prendre l'avion
trous d'air	supersonique	• voyager par avion

fusée n. f.

Noms	Adjectifs	Expressions
astronef	ascendante	• la fusée explose
base de lancement	descendante	• la fusée gravite
lancement	intercontinentale	• la fusée monte
navette	internationale	• la fusée voyage
rampe de lancement	interplanétaire	• envoyer une fusée
satellite	rapide	dans l'espace
vaisseau	spatiale	• jaillir comme une fusée
vol	volante	• propulser une fusée

Thème 7 – Animaux

Noms (mâle / femelle et petit)	Adjectifs	Expressions (cri)
âne / ânesse ânon	lent / lente, têtu / têtue	• l'âne brait (*braire*)
bœuf (taureau) / vache veau / génisse	domestique, marqué / marquée	• le bœuf meugle (*meugler*) ou beugle (*beugler*)
bouc / chèvre chevreau / chevrette	nain / naine, sauvage	• le bouc bêle (*bêler*)
canard / cane caneton	sauvage	• le canard nasille (*nasiller*)
cerf / biche faon	agile, farouche	• le cerf brame (*bramer*)
chameau / chamelle chamelon	domestique, dressé / dressée	• le chameau blatère (*blatérer*)
chat (matou) / chatte chaton	angora, tigré / tigrée	• le chat miaule (*miauler*)
cheval (étalon) / jument poulain / pouliche	noir / noire, racé / racée, rapide	• le cheval hennit (*hennir*)
chien / chienne chiot	errant / errante, fidèle, racé / racée	• le chien aboie (*aboyer*) ou jappe (*japper*)
coq / poule poussin	matinal / matinale, rouge	• le coq chante (*chanter*) • la poule glousse (*glousser*) ou caquette (*caqueter*)
éléphant / éléphante éléphanteau	blanc / blanche, gris / grise, gros / grosse	• l'éléphant barrit (*barrir*)
✴ grenouille têtard	rousse, verte	• la grenouille coasse (*coasser*)
✴ hibou	nocturne, rapace	• le hibou hulule (*hululer*)

✴ Le mâle et la femelle portent le même nom.

Noms (mâle / femelle et petit)	Adjectifs	Expressions (cri)
jars / oie oison	blanc / blanche, domestique, gris / grise, sauvage	• le jars jargonne (*jargonner*) • l'oie criaille (*criailler*)
lapin / lapine lapereau	angora, blanc / blanche, domestique	• le lapin glapit (*glapir*)
lièvre / hase levraut	commun / commune, élancé / élancée, rapide	• le lièvre vagit (*vagir*)
lion / lionne lionceau	enragé / enragée, fauve, féroce, puissant / puissante, roussâtre	• le lion rugit (*rugir*)
loup / louve louveteau	blanchâtre, gris / grise, roux / rousse	• le loup hurle (*hurler*)
✳ marmotte	curieuse, endormie, engourdie	• la marmotte siffle (*siffler*)
mouton / brebis agneau / agnelle	doux / douce, frisé / frisée	• le mouton bêle (*bêler*)
ours / ourse ourson	blanc / blanche, brun / brune, gris / grise, noir / noire, polaire	• l'ours grogne (*grogner*)
renard / renarde renardeau	argenté / argentée, rusé / rusée	• le renard glapit (*glapir*)
✳ serpent serpenteau	tropical, venimeux	• le serpent siffle (*siffler*)
singe / guenon	adroit / adroite, malin / maligne	• le singe crie (*crier*) ou hurle (*hurler*)
✳ souris souriceau	blanc / blanche, gris / grise, petit / petite	• la souris chicote (*chicoter*)
tigre / tigresse	puissant / puissante, rayé / rayée, royal / royale	• le tigre râle (*râler*) ou feule (*feuler*)
✳ zèbre	rayé, rapide	• le zèbre hennit (*hennir*)

✳ Le mâle et la femelle portent le même nom.

Thème 8 – Végétaux

Noms	Adjectifs	Expressions
arbre n. m.		
bambou	creux	• un arbre bourgeonne
baobab	décoratif	• un arbre fleurit
bouleau	énorme	• un arbre grandit
cèdre	épineux	• un arbre meurt
cerisier	exotique	• abattre un arbre
chêne	feuillu	• couper un arbre
cocotier	fleuri	• déraciner un arbre
cyprès	fruitier	• ébrancher un arbre
épinette	géant	• écorcer un arbre
érable	grand	• émonder un arbre
figuier	gros	• entailler un arbre
marronnier	mort	• greffer un arbre
merisier	nain	• grimper à un arbre
olivier	petit	• monter sur un arbre
palmier	sec	• planter un arbre
peuplier	tordu	• tailler un arbre
pommier	touffu	• tuteurer un arbre
saule	vigoureux	• transplanter un arbre
fleur n. f.		
capucine	artificielle	• une fleur se fane
chardon	ciselée	• une fleur s'ouvre
coquelicot	colorée	• une fleur sèche
géranium	comestible	• acheter des fleurs
iris	coupée	• arroser une fleur
jacinthe	délicate	• butiner de fleur en fleur
jasmin	éclose	• couper une fleur
jonquille	empoisonnée	• cueillir une fleur
lavande	épanouie	• cultiver une fleur
lilas	exotique	• effeuiller une fleur
marguerite	fanée	• envoyer des fleurs
muguet	fraîche	• lancer des fleurs
nénuphar	morte	• offrir des fleurs
œillet	naturelle	• parsemer de fleurs
perce-neige	odorante	• planter des fleurs
pissenlit	parfumée	• porter une fleur à
pivoine	sauvage	la boutonnière
tulipe	séchée	• semer des fleurs
violette	tropicale	• vendre des fleurs

Noms	Adjectifs	Expressions

fruit n. m.

Noms	Adjectifs	Expressions
abricot	acide	• acheter un fruit
ananas	aigre	• choisir un fruit
banane	amer	• couper un fruit
bleuet (myrtille)	charnu	• croquer un fruit
cantaloup	coloré	• cueillir un fruit
cerise	confit	• cuire un fruit
citron	cultivé	• dénoyauter un fruit
coco	exotique	• emballer un fruit
datte	frais	• éplucher un fruit
framboise	juteux	• équeuter un fruit
groseille	mûr	• évider un fruit
kiwi	parfumé	• exporter un fruit
mangue	petit	• importer un fruit
mûre	sauvage	• manger un fruit
orange	savoureux	• mordre dans un fruit
pamplemousse	séché	• peler un fruit
papaye	succulent	• presser un fruit
poire	sucré	• réfrigérer un fruit
pomme	sur	• transporter un fruit
raisin	tropical	• vendre un fruit

légume n. m.

Noms	Adjectifs	Expressions
artichaut	blanc	• acheter un légume
asperge	comestible	• arracher un légume
betterave	congelé	• arroser un légume
brocoli	cru	• couper un légume
carotte	cuit	• cueillir un légume
champignon	déshydraté	• cuire un légume
chou	farineux	• cultiver un légume
chou-fleur	frais	• éplucher un légume
concombre	gros	• farcir un légume
courgette	hâtif	• gratiner un légume
échalote	jaune	• manger un légume
endive	mûr	• nettoyer un légume
épinards	orangé	• planter un légume
fève	pourri	• préparer un légume
haricot	rouge	• râper un légume
navet	sec	• récolter un légume
oignon	surgelé	• transplanter un légume
pomme de terre	vert	• vendre un légume

Thème 9 – Lieux extérieurs

Noms	Adjectifs	Expressions

désert n. m.

Noms	Adjectifs	Expressions
caravane	aride	• avancer dans le désert
chaleur	chaud	• être au milieu d'un
chameau	froid	désert
dune	inhabité	• franchir le désert
oasis	rocheux	• mourir de soif dans
sable	saharien	le désert
vent	vaste	• traverser le désert

forêt n. f.

Noms	Adjectifs	Expressions
arbre	boréale	• battre la forêt pour
conservation	clairsemée	chasser le gibier
défrichement	dense	• déboiser la forêt
incendie	enchantée	• s'égarer dans la forêt
orée	équatoriale	• s'enfoncer au cœur
sapinière	sauvage	de la forêt
sentier	tropicale	• se promener en forêt
trace	vierge	• reboiser une forêt

île n. f.

Noms	Adjectifs	Expressions
archipel	déserte	• échouer sur une île
eau	exotique	déserte
grève	grande	• être abandonné
îlot	habitée	sur une île déserte
mer	inhabitée	• explorer une île
presqu'île	isolée	• habiter sur une île
roc	mystérieuse	• visiter une île
terre	petite	• vivre sur une île

lac n. m.

Noms	Adjectifs	Expressions
bord	artificiel	• se baigner dans un lac
chalet	calme	• ensemencer un lac
eau	grand	• habiter sur le bord
grève	limpide	d'un lac
plage	naturel	• nager dans un lac
quai	petit	• naviguer sur un lac
rive	profond	• pêcher dans un lac
vague	transparent	• traverser un lac

• • •

(SUITE)

Noms	Adjectifs	Expressions

mer n. f.

Noms	Adjectifs	Expressions
océan	bleue	• la mer monte
algue	calme	• la mer moutonne
coquillage	déchaînée	• la mer ondule
courant	écumante	• se jeter à la mer
flots	houleuse	• jeter une bouteille
iceberg	moutonneuse	à la mer
marée	polaire	• mettre à la mer
rivage	puissante	• naviguer en mer
sable	salée	• prendre la mer
vague	tropicale	• traverser la mer

montagne n. f.

Noms	Adjectifs	Expressions
altitude	arrondie	• descendre de
chaîne	douce	la montagne
éboulement	élevée	• dévaler de la montagne
escalade	enneigée	• escalader la montagne
flanc	escarpée	• faire des sports
neige	glacée	de montagne
pic	haute	• faire une excursion
pied	isolée	en montagne
sommet	petite	• gravir la montagne
versant	volcanique	• habiter la montagne

ville n. f.

Noms	Adjectifs	Expressions
cité	accueillante	• la ville se développe
avenue	commerçante	• aller en ville
boulevard	cosmopolite	• bâtir une ville
centre-ville	déserte	• bombarder une ville
cinéma	grande	• circuler dans une ville
édifice	grosse	• détruire une ville
gratte-ciel	importante	• envahir une ville
immeuble	industrielle	• faire un tour en ville
magasin	maritime	• fonder une ville
musée	petite	• magasiner en ville
parc	polluée	• préférer la ville à
quartier	sale	la campagne
restaurant	silencieuse	• se promener dans
rue	surpeuplée	une ville
théâtre	vivante	• visiter une ville

Thème 10 – Lieux intérieurs

Noms	Adjectifs	Expressions
bibliothèque n. f.		
dictionnaire	belle	• s'abonner à la
document	immense	bibliothèque
encyclopédie	municipale	• aller à la bibliothèque
journal	nationale	• emprunter un livre
livre	privée	à la bibliothèque
magazine	publique	• enrichir une
ordinateur	renommée	bibliothèque
rayon	riche	• lire à la bibliothèque
recueil	scientifique	• rapporter ses livres
référence	spécialisée	à la bibliothèque
revue	technique	• travailler à la
volume	vaste	bibliothèque
château n. m.		
canon	abandonné	• bâtir des châteaux
donjon	délabré	en Espagne
forteresse	désert	• construire un château
fossé	fortifié	• défendre un château
meurtrière	hanté	• faire la vie de château
muraille	impressionnant	• fortifier un château
pont-levis	lugubre	• habiter un château
ruines	médiéval	• se réfugier dans
tour	vieux	un château
école n. f.		
bibliothèque	accueillante	• s'absenter de l'école
cafétéria	alternative	• aller à l'école
cantine	cosmopolite	• construire une école
casier	grande	• enseigner dans
classe	mixte	une école
cloche	moderne	• entrer à l'école
corridor	petite	• envoyer un enfant
cour	primaire	à l'école
escalier	privée	• étudier dans une école
gymnase	publique	• faire l'école buissonnière
pupitre	secondaire	• fréquenter l'école
secrétariat	sportive	• quitter l'école
tableau	traditionnelle	• retourner à l'école

• • •

Noms	Adjectifs	Expressions

maison n. f.

Noms	Adjectifs	Expressions
demeure	abandonnée	• acheter une maison
domicile	accueillante	• bâtir une maison
résidence	ancestrale	• construire une maison
bureau	belle	• décorer une maison
chambre	centenaire	• entretenir une maison
cuisine	confortable	• faire maison nette
escalier	coquette	• garder la maison
garde-robe	délabrée	• habiter une maison
grenier	hantée	• loger dans une maison
jardin	humide	• louer une maison
logement	inhabitée	• partir de la maison
rez-de-chaussée	isolée	• quitter la maison
salle à manger	moderne	• recevoir dans sa maison
salle de bains	modeste	• rénover une maison
salle de jeu	obscure	• rentrer à la maison
salon	paternelle	• restaurer une maison
sous-sol	triste	• rester à la maison
véranda	vide	• vendre une maison
vestibule	vieille	• vivre dans une maison

restaurant n. m.

Noms	Adjectifs	Expressions
addition	bon	• aller au restaurant
boisson	chaleureux	• commander quelque
café	chic	chose au restaurant
carte	communautaire	• cuisiner dans
coutellerie	excellent	un restaurant
cuisine	exotique	• déjeuner au restaurant
dessert	gastronomique	• dîner au restaurant
entrée	immense	• inviter quelqu'un
menu	luxueux	au restaurant
note	ordinaire	• manger au restaurant
nourriture	petit	• manger dans
plat	populaire	un restaurant
repas	simple	• servir quelqu'un
vaisselle	sympathique	au restaurant
verrerie	végétarien	• souper au restaurant

Thème 11 – Temps

Noms	Adjectifs	Expressions

époque n. f.

Noms	Adjectifs	Expressions
ère	actuelle	• connaître une époque
période	ancienne	• être de son époque
chronologie	futuriste	• étudier une époque
histoire	historique	• traverser une époque
siècle	médiévale	• vivre avec son époque

année n. f.

Noms	Adjectifs	Expressions
an	bissextile	• calculer en années-lumière
âge	bonne	• commencer l'année
anniversaire	écoulée	• être dans sa dixième année
automne	lunaire	• fêter la nouvelle année
calendrier	mauvaise	• finir l'année en beauté
début	passée	• passer une bonne année
été	précédente	• souhaiter la bonne année
fin	présente	
hiver	prochaine	
printemps	scolaire	
saisons	solaire	

mois n. m.

Noms	Adjectifs	Expressions
janvier	automnal	• avoir des fins de mois difficiles
février	chaud	• changer de mois
mars	dernier	• connaître le jour et le mois
avril	ensoleillé	• être enceinte de tant de mois
mai	estival	• être payé tous les mois
juin	froid	• gagner tant par mois
juillet	hivernal	
août	lunaire	
septembre	pluvieux	
octobre	premier	
novembre	printanier	
décembre	prochain	

• • •

Noms	Adjectifs	Expressions

semaine n. f.

Noms	Adjectifs	Expressions
dimanche lundi mardi mercredi jeudi vendredi samedi	achevée courte dernière interminable longue première prochaine	• commencer la semaine • entamer une semaine d'école • être en fin de semaine • étudier pendant la semaine • finir la semaine

jour n. m.

Noms	Adjectifs	Expressions
journée après-midi aube avant-midi crépuscule matin midi nuit soir	beau clair ensoleillé gris maussade naissant pluvieux sombre suivant	• le jour chasse la nuit • le jour se lève • le jour tombe • être beau / belle comme le jour • être en plein jour • laisser entrer le jour • mettre à jour • travailler de jour

heure n. f.

Noms	Adjectifs	Expressions
aiguille demi-heure horloge minute montre seconde sonnerie trotteuse	avancée exacte interminable juste locale matinale normale supplémentaire	• arriver à l'heure • avancer l'heure • changer l'heure • compter les heures • lire l'heure • oublier l'heure • reculer l'heure • regarder l'heure

minute n. f.

Noms	Adjectifs	Expressions
chronomètre instant minutage minuterie moment seconde	décisive interminable longue petite précieuse solennelle	• s'absenter une minute • s'arrêter toutes les cinq minutes • compter les minutes • gagner des minutes • ne pas avoir une minute

Thème 12 – Fêtes

Noms		Expressions
halloween n. f.		

Noms		Expressions
araignée	loup-garou	• courir l'halloween
balai	lutin	• décorer une citrouille
bonbon	maison	• se déguiser pour
chapeau	maquillage	l'halloween
chauve-souris	masque	• effrayer les enfants
cimetière	monstre	• évider une citrouille
citrouille	nuit	• faire peur aux enfants
costume	octobre	• manger des bonbons
cri	pomme	• mettre un costume
déguisement	prince / princesse	• offrir des friandises
démon / démone	roi / reine	• porter un masque
diable / diablesse	rue	• récolter des friandises
enfant	sac	• sonner de porte
épouvantail	soirée	en porte
fantôme	sorcier / sorcière	• traverser un cimetière
fée	squelette	• trier ses bonbons
friandise	tombeau	• voler sur un balai
hibou	vampire	magique

Noms		Expressions
Noël n. m.		

Noms		Expressions
ange	hiver	• attendre le père Noël
bas de Noël	houx	• avoir un Noël blanc
boule	joujou	• célébrer Noël
bûche	lumière	• chanter des cantiques
cadeau	lutin	• croire au père Noël
cantique	mère Noël	• décorer le sapin
carte	messe	• écrire au père Noël
chant	minuit	• emballer les cadeaux
chariot	neige	• s'embrasser sous le houx
cheminée	père Noël	• être en congé pour Noël
chorale	pôle Nord	• fabriquer des guirlandes
cloche	présent	• faire un réveillon
crèche	renne	• faire une promenade
décoration	réveillon	en traîneau
défilé	sapin	• fêter Noël
étoile	souhaits	• offrir des cadeaux
fée des étoiles	tradition	• réveillonner en famille
grelot	traîneau	• souhaiter un joyeux
guirlande	vœux	Noël

Noms		Expressions

Saint-Valentin n. f.

amour	flamme	• avoir un amoureux /
amoureux / amoureuse	flèche	une amoureuse
arc	fleur	• être le valentin / la
chocolat	passion	valentine de quelqu'un
cœur	rose	• offrir son cœur à
Cupidon	sentiment	quelqu'un

Pâques n. m. ou f. pl.

bonbon	œuf	• chercher des œufs
chocolat	osier	de Pâques
chocolaterie	paille	• faire ses Pâques
congé	panier	• manger du chocolat
décoration	poussin	de Pâques
fleur	printemps	• souhaiter de joyeuses
lapin	ruban	Pâques

anniversaire n. m.

ami / amie	date	• fêter un anniversaire
an	fête	• inviter des amis
animation	gâteau	• partager un gâteau
année	invitation	• recevoir des cadeaux
bougie	jeu	• recevoir une carte
cadeau	magicien / magicienne	• souffler les bougies
carte	naissance	• souhaiter bon
clown	présent	anniversaire

mariage n. m.

noces	époux / épouse	• assister à un mariage
alliance	fiançailles	• célébrer un mariage
amour	fleur	• faire des projets de
anneau	invitation	mariage
bague	marié / mariée	• faire une demande
cadeau	présent	en mariage
cérémonie	réception	• faire partie du cortège
cortège	robe	nuptial
demande	témoin	• se marier
église, mosquée,	union	• passer les alliances
synagogue, temple	voyage	• s'unir par le mariage

3. Marqueurs de relation

Les marqueurs de relation servent à faire des liens dans les phrases et dans le texte. Voici des marqueurs de relation souvent utilisés.

Marqueurs de relation pour les phrases		
Liens	**Marqueurs**	**Exemples**
Choix	ou	*Roseline fera du ski **ou** du surf des neiges.*
	ou bien	*Samedi, je serai au cinéma, **ou bien** au salon des jeunes.*
Addition	et	*Jérôme a rencontré son cousin **et** sa tante.*
	de plus	*Ruby aime le soccer, **de plus** elle est une très bonne joueuse.*
Succession	puis	*Un ours s'est approché, **puis** il est reparti.*
	après	*Tu respires fort, **après** tu sautes !*
Cause	parce que	*Les fleurs sont fanées **parce qu**'elles ont manqué d'eau.*
	car	*On voit mieux le chemin, **car** la neige a fondu.*
	puisque	*Il ne courra pas, **puisqu**'il est blessé.*
	à cause de	***À cause de** la tempête, nous n'avons pas pu sortir.*
Opposition	cependant	*Sylvia a reçu du chocolat, **cependant** elle n'en mange pas.*
	mais	*Alek veut partir, **mais** il doit attendre son frère.*
Temps	avant de	***Avant de** commencer ma recherche, je vais souper.*
	quand	***Quand** le soleil se couche, les chevaux entrent dans l'écurie.*
	pendant que	***Pendant que** tu dormais, je travaillais.*

Marqueurs de relation pour le texte

Liens	Marqueurs	
Temps	à cette époque	en même temps
	à l'avenir	hier
	actuellement	il y a longtemps
	alors	jadis
	au début	l'an dernier
	aujourd'hui	l'an prochain
	auparavant	le lendemain
	aussitôt	maintenant
	autrefois	parfois
	bientôt	pendant ce temps
	demain	soudain
	en ce moment	tout à coup
Espace	à côté	devant
	à l'autre bout	en arrière
	à l'extérieur	en avant
	à l'intérieur	en bas
	au loin	en face
	au milieu	en haut
	dehors	ici
	derrière	là
	dessous	là-bas
	dessus	tout près
Ordre des événements	à la fin	enfin
	après	ensuite
	d'abord	finalement
	deuxièmement (2°)	pour commencer
	en conclusion	pour conclure
	en dernier lieu	pour terminer
	en deuxième lieu	premièrement (1°)
	en premier lieu	tout d'abord
	en terminant	troisièmement (3°)

4. Synonymes et antonymes

Les synonymes sont des mots qui ont à peu près le même sens, tandis que les antonymes sont des mots qui ont un sens contraire.

Les trois tableaux suivants présentent des synonymes et des antonymes de noms, d'adjectifs et de verbes.

4.1 Synonymes et antonymes de noms

Noms	Synonymes	Antonymes
adresse	dextérité, habileté	gaucherie, maladresse
ami / amie	camarade, compagnon / compagne	ennemi / ennemie, rival / rivale
arrivée	entrée, venue	départ, sortie
bonté	charité, dévouement, générosité	brutalité, dureté, égoïsme, méchanceté
bout	extrémité, fin, frontière, limite	commencement, début, départ
bruit	brouhaha, son, vacarme	silence, calme
campagne	nature, villégiature	ville
cause	raison	conséquence, effet, résultat
château	manoir, palace, palais	cabane, taudis
colère	fureur, rage	calme, douceur, maîtrise

• • •

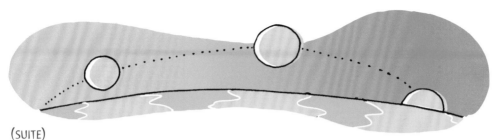

(SUITE)

Noms	Synonymes	Antonymes
cri	hurlement	chuchotement, murmure
danger	péril, risque	sécurité, sûreté, tranquillité
début	commencement, introduction	conclusion, fin
dos	derrière, envers, revers, verso	devant, endroit, face, recto
douleur	mal, malaise, souffrance	bien-être, soulagement
doute	crainte, hésitation, incertitude, inquiétude	assurance, certitude, confiance, conviction
est	levant, orient	couchant, occident, ouest
force	robustesse, solidité, vigueur	faiblesse, fragilité
foule	gens, masse, monde, rassemblement	individu, personne
guerre	bataille, combat, lutte	accord, entente, paix
instant	minute, moment, seconde	éternité
joie	bonheur, gaieté, plaisir	chagrin, désespoir, malheur, peine, tristesse
lumière	clarté, éclairage, jour	noirceur, obscurité
matin	aube, aurore, avant-midi, matinée	après-midi, soir, soirée
milieu	centre, cœur, noyau	bord, côté, extérieur
montée	ascension, escalade	descente, glissade
mouvement	activité, déplacement, mobilité	arrêt, immobilité, inaction, inactivité

• • •

Noms	Synonymes	Antonymes
ordre	arrangement, classement, organisation	confusion, désordre, désorganisation
part	morceau, partie, portion	ensemble, tout
peur	angoisse, crainte, épouvante, frayeur, panique, terreur	bravoure, courage, héroïsme
question	interrogation, problème	réponse, solution
rire	rigolade, sourire	larme, pleur, sanglot
sol	parquet, plancher, terre	air, ciel, plafond
travail	emploi, occupation, ouvrage, tâche	congé, récréation, relâche, repos
trou	cavité, creux, crevasse, fente, fosse	bosse, butte, monticule
victoire	avantage, gain, réussite, succès, triomphe	défaite, échec, perte, revers

4.2 Synonymes et antonymes d'adjectifs

Adjectifs	Synonymes	Antonymes
bon / bonne	délicieux / délicieuse, exquis / exquise, fameux / fameuse, savoureux / savoureuse, succulent / succulente	aigre, amer / amère, âpre, désagréable, mauvais / mauvaise
chaud / chaude	bouillant / bouillante, brûlant / brûlante, fumant / fumante, torride, tropical / tropicale	frais / fraîche, froid / froide, gelé / gelée, glacé / glacée
courageux / courageuse	brave, héroïque, vaillant / vaillante, valeureux / valeureuse	craintif / craintive, lâche, peureux / peureuse

• • •

Adjectifs	Synonymes	Antonymes
dur / dure	consistant / consistante, ferme, résistant / résistante, rigide, solide	doux / douce, malléable, moelleux / moelleuse, mou / molle, souple
facile	aisé / aisée, simple	ardu / ardue, compliqué / compliquée, difficile
fou / folle	déraisonnable, écervelé / écervelée, étourdi / étourdie, insensé / insensée, sot / sotte, stupide	conscient / consciente, intelligent / intelligente, raisonnable, réfléchi / réfléchie, sensé / sensée
gentil / gentille	aimable, attentionné / attentionnée, avenant / avenante, bienveillant / bienveillante, généreux / généreuse, serviable	cruel / cruelle, dur / dure, égoïste, méchant / méchante, odieux / odieuse
grand / grande	élancé / élancée, haut / haute, géant / géante, long / longue	court / courte, petit / petite, trapu / trapue
humble	effacé / effacée, modeste, réservé / réservée, simple	fier / fière, orgueilleux / orgueilleuse, vaniteux / vaniteuse
invisible	caché / cachée, couvert / couverte, dérobé / dérobée	apparent / apparente, visible
léger / légère	allégé / allégée, déchargé / déchargée	chargé / chargée, lourd / lourde, pesant / pesante
nouveau / nouvelle	jeune, moderne, neuf / neuve, récent / récente	ancien / ancienne, antique, traditionnel / traditionnelle, usé / usée, vieux / vieille

• • •

(SUITE)

Adjectifs	Synonymes	Antonymes
plat / plate	aplati / aplatie, égal / égale, ras / rase, uni / unie	accidenté / accidentée, bombé / bombée, inégal / inégale
propre	lavé / lavée, net / nette, nettoyé / nettoyée	crasseux / crasseuse, malpropre, sale
riche	aisé / aisée, fortuné / fortunée, prospère	défavorisé / défavorisée, démuni / démunie, dépourvu / dépourvue, misérable, pauvre
rond / ronde	circulaire, cylindrique, sphérique	anguleux / anguleuse, carré / carrée, pointu / pointue, rectangulaire
sage	docile, obéissant / obéissante, rangé / rangée, réservé / réservée, tranquille	agité / agitée, désobéissant / désobéissante, dissipé / dissipée, insupportable, turbulent / turbulente
sérieux / sérieuse	austère, grave, sévère, solennel / solennelle	amusant / amusante, chaleureux / chaleureuse, enjoué / enjouée, gai / gaie

• • •

Adjectifs	Synonymes	Antonymes
vif / vive	agile, alerte, éveillé / éveillée, fringant / fringante, rapide	endormi / endormie, engourdi / engourdie, inerte, lent / lente
vrai / vraie	authentique, exact / exacte, juste, véridique	douteux / douteuse, erroné / erronée, fautif / fautive, faux / fausse, inexact / inexacte, mensonger / mensongère

4.3 Synonymes et antonymes de verbes

Verbes	Synonymes	Antonymes
acheter	acquérir, obtenir, se procurer	céder, écouler, vendre
aider	appuyer, assister, collaborer, contribuer, coopérer, participer, soutenir	abandonner, délaisser, gêner, nuire
aimer	adorer, affectionner, apprécier, chérir, préférer	délaisser, détester, haïr
aller	avancer, cheminer, se diriger, marcher, se rendre	reculer, revenir
amuser (s')	se distraire, se divertir, jouer	s'embêter, s'ennuyer
approcher	coller, joindre, rapprocher	éloigner, espacer, repousser
blâmer	accuser, condamner, réprimander, reprocher	approuver, complimenter, féliciter

• • •

(SUITE)

Verbes	Synonymes	Antonymes
changer	convertir, échanger, remplacer, troquer	conserver, garder
chercher	examiner, explorer, fouiller, fureter, rechercher	trouver
commencer	amorcer, débuter, démarrer, entamer	aboutir, achever, cesser, compléter, conclure, finir, terminer
connaître	apprendre, maîtriser, posséder, savoir	désapprendre, ignorer, méconnaître, oublier
descendre	dégringoler, dévaler, tomber	gravir, grimper, monter
diviser	couper, fractionner, morceler, partager, séparer, subdiviser	fusionner, grouper, multiplier, réunir, unir
dormir	s'endormir, se reposer, sommeiller, somnoler	s'éveiller, se réveiller, veiller
entrer	s'engager, s'introduire, pénétrer	partir, quitter, sortir
faire	bâtir, confectionner, construire, créer, fabriquer	abattre, défaire, démolir, détruire, supprimer
garder	conserver, ramasser, stocker	se débarrasser, détruire, jeter
lever	élever, hausser, hisser, monter, remonter	abaisser, baisser, descendre
mettre	déposer, placer, poser	enlever, ôter, prendre, retirer
montrer	afficher, découvrir, exposer, présenter	cacher, camoufler, couvrir, dissimuler
offrir	distribuer, donner, fournir, présenter, remettre	prendre, recevoir, recueillir
percer	creuser, perforer, transpercer, traverser	boucher, fermer, murer, obstruer
perdre	égarer, oublier	récupérer, retrouver

• • •

(SUITE)

Verbes	Synonymes	Antonymes
planter	boiser, cultiver, ensemencer, peupler, semer	arracher, déplanter, déraciner, déterrer
polluer	contaminer, salir, souiller	assainir, décontaminer, dépolluer, épurer, nettoyer
préparer	élaborer, étudier, organiser, prévoir	improviser, négliger
rendre	rapporter, redonner, remettre	confisquer, conserver, garder
rester	habiter, loger, résider	déménager, quitter
soustraire	déduire, enlever, ôter, retirer, retrancher	additionner, ajouter, augmenter
tirer	remorquer, tracter, traîner	pousser, propulser
tomber	s'affaisser, s'affaler, chuter, s'étendre	se dresser, se redresser, se relever
vider	enlever, retirer, transvaser, transvider, verser	combler, emplir, remplir
vivre	croître, durer, être, exister	décéder, s'éteindre, mourir, périr, trépasser

5. Homophones

Les homophones sont des mots qui se prononcent de la même façon (ou presque), mais qui ont un sens différent.

Ex. : **Ton** *frère aime la salade de* **thon**.

Voici une liste d'homophones qu'il est utile de connaître.

**a
à**

Classes	Comment les reconnaître	Exemples
a : verbe *avoir*	• On peut le remplacer par **avait**.	*Marie-Pier* **a** *son manteau.* ➡ *Marie-Pier* **avait** *son manteau.*
	• On peut l'encadrer par **n'... pas**.	➡ *Marie-Pier* **n'a pas** *son manteau.*
à : préposition	• On ne peut pas le remplacer par **avait**.	*Marie-Pier retourne* **à** *la maison.* ➡ *Marie-Pier retourne* ~~avait~~ *la maison.*
	• On ne peut pas l'encadrer par **n'... pas**.	➡ *Marie-Pier retourne* ~~n'à pas~~ *la maison.*

**ça
sa**

Classes	Comment les reconnaître	Exemples
ça : pronom démonstratif	• En général, on peut le remplacer par **cela**.	**Ça** *vaut la peine.* ➡ **Cela** *vaut la peine.*
sa : déterminant possessif	• On peut le remplacer par **une**.	**Sa** *tasse est pleine.* ➡ **Une** *tasse est pleine.*
	• On ne peut pas le remplacer par **cela**.	➡ ~~Cela~~ *tasse est pleine.*

Classes	Comment les reconnaître	Exemples
ce: déterminant démonstratif	• On peut le remplacer par **un**.	*Ce lapin mange des carottes.* ⟹ *Un lapin mange des carottes.*
ce: pronom démonstratif	• Il est souvent employé avec le verbe *être*. • En général, on peut le remplacer par **cela**.	*Ce n'est pas froid.* ⟹ *Cela n'est pas froid.*
se: pronom personnel	• Il accompagne toujours un verbe. • On ne peut pas le remplacer par **un** ou **cela**.	*Marco se promène en vélo.* ⟹ *Marco ~~un~~ promène en vélo.* ⟹ *Marco ~~cela~~ promène en vélo.*

Classes	Comment les reconnaître	Exemples
ces: déterminant démonstratif	• On peut le remplacer, avec le nom qu'il accompagne, par **ceux-ci** ou **celles-ci**.	*Ces élèves écrivent une lettre.* ⟹ *Ceux-ci écrivent une lettre.*
ses: déterminant possessif	• On peut le remplacer, au singulier, par **son** ou **sa**.	*Elle a mis ses bottes.* ⟹ *Elle a mis sa botte.*

c'est s'est

Classes	Comment les reconnaître	Exemples
c'est : pronom *ce* + verbe *être*	• On peut souvent le remplacer par **cela est** ou par **ce n'est pas.**	**C'est** beau. ⇒ **Cela est** beau. **C'est** Sabine. ⇒ **Ce n'est pas** Sabine.
s'est : pronom *se* + auxiliaire *être*	• On ne peut pas le remplacer par **cela est.**	On **s'est** servi du lait. ⇒ On ~~cela est~~ servi du lait.

sais sait

Classes	Comment les reconnaître	Exemples
sais : verbe *savoir* (1re et 2e pers. s.)	• Il est précédé de **je** ou **tu.** • Sa finale est **-s.**	*Je* **sais** *son nom.* *Tu* **sais** *qui a fait cela.*
sait : verbe *savoir* (3e pers. s.)	• Il est précédé de **il, elle, on** ou d'un **GN.** • Sa finale est **-t.**	*Cette fille* **sait** *son texte par cœur.* *Elle* **sait** *son texte par cœur.*

Classes	Comment les reconnaître	Exemples
la : déterminant article	• On peut le remplacer par **une**.	*La porte est ouverte.* ⟶ *Une porte est ouverte.*
l'a : pronom *le* ou *la* + verbe *avoir*	• On peut le remplacer par **l'avait**. • On ne peut pas le remplacer par **une**.	*Samuel l'a regardé.* ⟶ *Samuel l'avait regardé.* ⟶ *Samuel ~~une~~ regardé.*
là : adverbe	• On peut le remplacer par **ici**.	*Katou n'est pas là.* ⟶ *Katou n'est pas ici.*

Classes	Comment les reconnaître	Exemples
ma : déterminant possessif	• On peut le remplacer par **une**.	*Donne-moi ma pelle.* ⟶ *Donne-moi une pelle.*
m'a : pronom *me* + verbe *avoir*	• On peut le remplacer par **m'avait**. • On ne peut pas le remplacer par **une**.	*Émile m'a appelé.* ⟶ *Émile m'avait appelé.* ⟶ *Émile ~~une~~ appelé.*

Classes	Comment les reconnaître	Exemples
mes : déterminant possessif	• On peut le remplacer, au singulier, par **mon** ou **ma**.	*Claudio a pris* **mes** *raquettes.* ⟹ *Claudio a pris* **ma** *raquette.*
mais : conjonction	• On peut parfois le remplacer par **cependant**. • On ne peut pas le remplacer par **mon** ou **ma**.	*Elle attend,* **mais** *son ami n'arrive pas.* ⟹ *Elle attend,* **cependant** *son ami n'arrive pas.* ⟹ *Elle attend,* ~~mon~~ *son ami n'arrive pas.*

Classes	Comment les reconnaître	Exemples
mets : verbe *mettre* (1re et 2e pers. s.)	• Il est précédé de **je** ou **tu**. • Sa finale est **-s**.	*Je* **mets** *un costume.* *Tu* **mets** *ton chapeau.*
met : verbe *mettre* (3e pers. s.)	• Il est précédé de **il**, **elle**, **on** ou d'un **GN**. • Sa finale est **-t**.	*Nina* **met** *ses lunettes.* *Elle* **met** *ses lunettes.*
Il y a aussi le nom *mets* :		
mets : nom masculin	C'est un aliment cuisiné.	*J'aime les* **mets** *chinois.*

Classes	Comment les reconnaître	Exemples
mère : nom féminin	C'est une femme qui a un ou plusieurs enfants.	*Ma **mère** s'occupe de notre équipe de soccer.*
mer : nom féminin	C'est une grande étendue d'eau salée.	*Parfois, on se baigne dans la **mer**.*
maire : nom masculin	C'est une personne élue qui dirige une ville.	*Le **maire** de notre ville est venu à l'école.*

mère
mer
maire

Classes	Comment les reconnaître	Exemples
mon : déterminant possessif	• On peut le remplacer par **un** ou **une**.	***Mon** sac est percé.* ⟹ ***Un** sac est percé.*
m'ont : pronom *me +* verbe *avoir*	• On peut le remplacer par **m'avaient**. • On ne peut pas le remplacer par **un** ou **une**.	*Elles **m'ont** oublié.* ⟹ *Elles **m'avaient** oublié.* ⟹ *Elles ~~un~~ oublié.*

mon
m'ont

Classes	Comment les reconnaître	Exemples
mur : nom masculin	C'est une construction qui sert à séparer des espaces.	*Un **mur** sépare les deux classes.*
mûr : adjectif	C'est un mot qui veut dire « complètement développé ».	*Ce kiwi est **mûr**.*
mûre : nom féminin	C'est un petit fruit noir.	*J'ai mangé des **mûres** de notre jardin.*

mur
mûr
mûre

Classes	Comment les reconnaître	Exemples
nom : nom masculin	C'est un mot qui sert à désigner différentes réalités : personnes, animaux, objets, etc.	*Je ne connais pas son **nom**.*
non : adverbe de négation	C'est un mot qui sert à exprimer une négation, un refus.	***Non,** je ne peux pas sortir.*

nom
non

Classes	Comment les reconnaître	Exemples
on : pronom	• On peut le remplacer par **il** ou **elle.**	***On** a réparé l'horloge.* ⟹ ***Elle** a réparé l'horloge.*
ont : verbe *avoir*	• On peut le remplacer par **avaient.** • On peut l'encadrer par **n'... pas.** • On ne peut pas le remplacer par **il** ou **elle.**	*Nos voisins **ont** une chèvre.* ⟹ *Nos voisins **avaient** une chèvre.* ⟹ *Nos voisins **n'**ont **pas** une chèvre.* ⟹ *Nos voisins il une chèvre.*

on
ont

Classes	Comment les reconnaître	Exemples
père : nom masculin	C'est un homme qui a un ou plusieurs enfants.	*Mon **père** a réparé notre cabane en bois.*
paire : nom féminin	Ce sont deux choses qui vont ensemble.	*Noémie cherche une **paire** de mitaines.*
pair : adjectif	C'est un mot qui désigne une quantité divisible par deux.	*Quatre est un nombre **pair**.*
pers : adjectif masculin	C'est une couleur changeante entre le bleu et le vert.	*J'ai les yeux **pers**.*

père
paire
pair
pers

Classes	Comment les reconnaître	Exemples
peux : verbe *pouvoir* (1ʳᵉ et 2ᵉ pers. s.)	• Il est précédé de **je** ou **tu**. • Sa finale est **-x**.	*Je* **peux** *nager.* *Tu* **peux** *courir.*
peut : verbe *pouvoir* (3ᵉ pers. s.)	• Il est précédé de **il, elle, on** ou d'un **GN**. • Sa finale est **-t**.	*Francis* **peut** *t'aider.* *Il* **peut** *t'aider.*

peux
peut

Classes	Comment les reconnaître	Exemples
peut : verbe *pouvoir*	• On peut le remplacer par **pouvait**.	*Il* **peut** *t'aider.* ⟾ *Il* **pouvait** *t'aider.*
peu : adverbe	• On ne peut pas le remplacer par **pouvait**.	*Elle parle* **peu.** ⟾ *Elle parle* ~~**pouvait.**~~

Attention ! C'est la même chose pour *je peux, tu peux* :
⟾ *je pouvais écrire, tu pouvais écrire*

peut
peu

	Classes	Comment les reconnaître	Exemples
sont **son**	**sont** : verbe *être*	• On peut le remplacer par ***étaient***.	*Mes amis **sont** contents.*
			▷ *Mes amis **étaient** contents.*
		• On peut l'encadrer par ***ne... pas***.	▷ *Mes amis **ne** sont **pas** contents.*
	son : déterminant possessif	• On peut le remplacer par ***un*** ou ***une***.	*Elle ouvre **son** parapluie.*
			▷ *Elle ouvre **un** parapluie.*
		• On ne peut pas le remplacer par ***étaient***.	▷ *Elle ouvre ~~étaient~~ parapluie.*
		• On ne peut pas l'encadrer par ***ne... pas***.	▷ *Elle ouvre ~~ne son pas~~ parapluie.*

	Classes	Comment les reconnaître	Exemples
sûr **sur**	**sûr** : adjectif	• On peut souvent le remplacer par ***certain***.	*Je suis **sûr** de gagner.*
			▷ *Je suis **certain** de gagner.*
	sur : préposition	• On peut souvent le remplacer par ***au-dessus de, dessus, en haut de...***	*Janou est allée **sur** la butte.*
			▷ *Janou est allée **en haut de** la butte.*
		• On ne peut pas le remplacer par ***certain***.	▷ *Janou est allée ~~certain~~ la butte.*

Classes	Comment les reconnaître	Exemples
ta : déterminant possessif	• On peut le remplacer par **une**.	*Apporte **ta** raquette.* ⟹ *Apporte **une** raquette.*
t'a : pronom *te* + verbe *avoir*	• On peut le remplacer par **t'avait**.	*Pascal **t'a** invité à souper.* ⟹ *Pascal **t'avait** invité à souper.*
	• On ne peut pas le remplacer par **une**.	⟹ *Pascal ~~une~~ invité à souper.*

ta
t'a

Classes	Comment les reconnaître	Exemples
ton : déterminant possessif	• On peut le remplacer par **un** ou **une**.	*Je voudrais **ton** gâteau.* ⟹ *Je voudrais **un** gâteau.*
t'ont : pronom *te* + verbe *avoir*	• On peut le remplacer par **t'avaient**.	*Elles **t'ont** dit bonjour.* ⟹ *Elles **t'avaient** dit bonjour.*
	• On ne peut pas le remplacer par **un** ou **une**.	⟹ *Elles ~~un~~ dit bonjour.*
Il y a aussi le nom *thon* :		
thon : nom masculin	C'est un poisson de grande taille.	*Nous mangeons du **thon** pour le dîner.*

ton
t'ont
thon

Classes	Comment les reconnaître	Exemples
ver : nom masculin	C'est un petit animal allongé au corps mou.	*J'ai pris un **ver** pour pêcher.*
verre : nom masculin	C'est une matière dure, fragile et transparente.	*Nadia a cassé un pot de **verre** sans faire exprès.*
vers : préposition	C'est un mot qui veut dire « en direction de ».	*Danick va **vers** la sortie.*
vert : adjectif	C'est la couleur verte.	*Il veut un crayon **vert**.*

ver
verre
vers
vert

6. Adjectifs de couleur

L'adjectif de couleur simple

L'adjectif de couleur simple est formé d'un seul mot.

L'adjectif de couleur simple est variable, c'est-à-dire qu'il s'accorde avec le nom qu'il accompagne.

Adjectifs de couleur simples variables			Exemples
beige	châtain	orangé	*une balle* **bleue**
blanc	doré	rouge	*une guirlande* **dorée**
blanchâtre	gris	rougeâtre	*une chenille* **verte**
bleu	jaunâtre	roux	*des maisons* **grises**
blond	jaune	vert	*des mains* **blanches**
brun	noir	violet	*des bas* **rougeâtres**

Quand un nom (de fruit, de fleur, de plante, d'arbre, d'animal ou d'objet) est employé comme adjectif de couleur, il est généralement invariable. Il ne s'accorde pas avec le nom qu'il accompagne.

Adjectifs de couleur simples invariables			Exemples
abricot	carotte	moutarde	*une piscine* **azur**
acajou	cerise	noisette	*une tente* **caramel**
acier	chocolat	olive	*des cloches* **or**
ardoise	citron	or	*des lumières* **orange**
argent	crème	orange	*des murs* **pêche**
avocat	émeraude	pêche	*des voitures* **cerise**
azur	framboise	rubis	
brique	ivoire	saphir	
bronze	kaki	saumon	
café	lavande	souris	
cannelle	lilas	tomate	
caramel	marron	turquoise	

Exceptions :
Les noms ***écarlate, fauve, mauve, pourpre*** et ***rose*** employés comme adjectifs de couleur sont variables.

Pour savoir si un adjectif de couleur est variable ou invariable, tu peux aussi consulter un dictionnaire.

Ex. :

> Employé comme adjectif de couleur, le mot *saphir* est invariable.
>
> **saphir** n. m. Pierre précieuse bleue [...]. ◆ adj. invar. De la couleur d'un saphir. *Elle a des yeux saphir.*
>
> *Dictionnaire Super Major* © Larousse-VUEF, 2003.

7. Règles d'accord

Voici les principales règles d'accord que tu as vues dans la grammaire.

Les accords dans le GN	
Règles	**Exemples**
L'accord du déterminant Le déterminant s'accorde en genre et en nombre avec le nom qu'il accompagne.	GN dét. n. *Les **pommiers*** *sont en fleurs.* m. pl.
L'accord de l'adjectif L'adjectif s'accorde en genre et en nombre avec le nom qu'il accompagne.	GN n. adj. *J'aime* *la **crème** glacée*. f. s.
Quand un participe passé est employé comme un adjectif, on l'accorde aussi comme un adjectif.	GN n. p. p. *Bao a rangé* *tous les **livres** lus*. m. pl.

Les accords dans la phrase

Règles	Exemples

L'accord du verbe

Le verbe s'accorde en personne (3ᵉ) et en nombre avec le noyau du GN sujet.

GN
n.   v.

*La **mer*** *semble très calme.*

3ᵉ pers. s.

Le verbe s'accorde en personne et en nombre avec le pronom sujet.

pron.   v.

Tu *recev**ras** une récompense!*

2ᵉ pers. s.

Quand le sujet est formé de plusieurs GN, le verbe reçoit la 3ᵉ personne du pluriel.

GN   GN
n.   n.   v.

*Le **serpent*** *et* *la **marmotte*** *siffl**ent**.*

3ᵉ pers. pl.

On peut remplacer le sujet par *ils* ou *elles*.

pron.   v.

⟹   ***Ils*** *siffl**ent**.*

3ᵉ pers. pl.

8. Tableaux de conjugaison

Voici la liste des 60 verbes modèles que tu trouveras dans cette annexe sous forme de tableaux de conjugaison.

Auxiliaires et verbes							
avoir	1						
être	2						
Verbes réguliers en *-er*		**Verbes irréguliers en *-ir*, en *-oir* et en *-re***					
acheter	3	aller	19	joindre	37	valoir	55
aimer	4	asseoir	20	lire	38	venir	56
appeler	5	battre	21	mentir	39	vêtir	57
broyer	6	boire	22	mettre	40	vivre	58
créer	7	bouillir	23	mourir	41	voir	59
envoyer	8	connaître	24	naître	42	vouloir	60
étudier	9	courir	25	ouvrir	43		
geler	10	croire	26	plaire	44		
jeter	11	cueillir	27	pleuvoir	45		
manger	12	cuire	28	pouvoir	46		
payer	13	devoir	29	prendre	47		
peser	14	dire	30	recevoir	48		
placer	15	distraire	31	rendre	49		
protéger	16	dormir	32	rire	50		
régler	17	écrire	33	savoir	51		
Verbes réguliers en *-ir*		faire	34	servir	52		
		falloir	35	suivre	53		
finir	18	fuir	36	tenir	54		

Le verbe *aller* est un verbe **irrégulier** malgré sa terminaison en ***-er***.

Liste alphabétique des verbes

A		arrêter	4	brasser	4
aborder	4	arriver*	4	bricoler	4
abriter	4	arroser	4	briser	4
abuser	4	**asseoir**	20	brosser	4
accepter	4	attacher	4	**broyer**	6
acheter	3	attaquer	4		
additionner	4	attendre	49	C	
admirer	4	atterrir	18	cacher	4
adopter	4	attirer	4	calculer	4
affaiblir	18	avancer	15	calmer	4
afficher	4	avertir	18	camper	4
agir	18	**avoir**	1	casser	4
aider	4	avouer	4	causer	4
aimer	4			cesser	4
ajouter	4	B		changer	12
aller*	19	baigner	4	chanter	4
allonger	12	baisser	4	charger	12
allumer	4	barrer	4	charmer	4
amener	14	bâtir	18	chasser	4
amuser	4	**battre**	21	chausser	4
animer	4	bénir	18	chercher	4
annoncer	15	bercer	15	choisir	18
appeler	5	blanchir	18	circuler	4
apporter	4	blesser	4	classer	4
apprendre	47	**boire**	22	clouer	4
approcher	4	boucher	4	coiffer	4
arracher	4	bouder	4	colorer	4
arranger	12	**bouillir**	23	colorier	9

Les verbes en gras sont les verbes modèles.

Pour savoir comment conjuguer ce verbe, consulte le tableau du verbe modèle qui porte ce numéro.

*Ce verbe se conjugue avec l'auxiliaire *être*.

commencer	15	défaire	34		**E**		
comparer	4	déjeuner	4	échapper		4	
comprendre	47	délivrer	4	éclaircir		18	
compter	4	demander	4	éclairer		4	
conduire	28	demeurer	4	éclater		4	
connaître	24	démolir	18	écouter		4	
consoler	4	dépenser	4	**écrire**		33	
construire	28	déplacer	15	effacer		15	
contenir	54	déposer	4	embrasser		4	
conter	4	descendre	49	empêcher		4	
continuer	4	désobéir	18	emporter		4	
convenir	54	dessiner	4	encourager		12	
copier	9	détacher	4	enfermer		4	
coucher	4	détester	4	engager		12	
couler	4	détruire	28	enrichir		18	
couper	4	devenir*	56	enseigner		4	
courir	25	deviner	4	entendre		49	
créer	7	**devoir**	29	enterrer		4	
crier	9	dévorer	4	entrer		4	
croire	26	dîner	4	**envoyer**		8	
cueillir	27	**dire**	30	espérer		17	
cuire	28	diriger	12	**être**		2	
cultiver	4	**distraire**	31	**étudier**		9	
		distribuer	4	exister		4	
D		diviser	4	expliquer		4	
danser	4	donner	4	exprimer		4	
déborder	4	**dormir**	32				
décider	4	douter	4		**F**		
découvrir	43	durer	4	**faire**		34	

*Ce verbe se conjugue avec l'auxiliaire *être*.

falloir	35	intervenir*	56	monter	4
fatiguer	4	inviter	4	montrer	4
fermer	4			**mourir***	41
fêter	4	**J**		multiplier	9
finir	18	**jeter**	11		
forcer	15	**joindre**	37	**N**	
former	4	jouer	4	nager	12
fouetter	4	juger	12	**naître***	42
fournir	18			neiger	12
frapper	4	**L**		nommer	4
fuir	36	laisser	4	noter	4
fumer	4	lancer	15	nourrir	18
		laver	4		
G		lever	14	**O**	
gagner	4	**lire**	38	obéir	18
garder	4	louer	4	obliger	12
geler	10			occuper	4
glisser	4	**M**		offrir	43
grandir	18	magasiner	4	oublier	9
grossir	18	**manger**	12	**ouvrir**	43
guérir	18	manquer	4		
		marcher	4	**P**	
H		marquer	4	paraître	24
habiter	4	mélanger	12	pardonner	4
		mener	14	parler	4
I		**mentir**	39	partager	12
imaginer	4	mériter	4	participer	4
imposer	4	mesurer	4	partir*	39
intéresser	4	**mettre**	40	parvenir*	56

*Ce verbe se conjugue avec l'auxiliaire *être*.

passer	4	presser	4	relire	38
patiner	4	prévenir	54	remarquer	4
payer	13	prier	9	remettre	40
pêcher	4	promener	14	remonter	4
pédaler	4	**protéger**	16	remplir	18
penser	4	punir	18	rencontrer	4
perdre	49			**rendre**	49
permettre	40	**Q**		rentrer	4
peser	14	quitter	4	réparer	4
piquer	4			repartir*	39
placer	15	**R**		repasser	4
plaire	44	raconter	4	replacer	15
planter	4	ralentir	18	répondre	49
pleurer	4	ramasser	4	reposer	4
pleuvoir	45	ramener	14	reprendre	47
plier	9	ranger	12	représenter	4
plonger	12	rappeler	5	respecter	4
polluer	4	rapporter	4	respirer	4
porter	4	**recevoir**	48	rester*	4
poser	4	rechercher	4	retourner	4
posséder	17	recommencer	15	retrouver	4
poster	4	reculer	4	réussir	18
pousser	4	redevenir*	56	réveiller	4
pouvoir	46	redire	30	revenir*	56
pratiquer	4	refaire	34	rêver	4
préférer	17	réfléchir	18	réviser	4
prendre	47	refroidir	18	revoir	59
préparer	4	regarder	4	**rire**	50
présenter	4	**régler**	17	ronger	12

*Ce verbe se conjugue avec l'auxiliaire *être*.

rougir	18	souhaiter	4	trouver	4
rouler	4	soulager	12	tuer	4
		souper	4		
S		**suivre**	53	**U**	
saisir	18	surprendre	47	unir	18
salir	18	sursauter	4	utiliser	4
saluer	4	surveiller	4		
satisfaire	34			**V**	
sauter	4	**T**		**valoir**	55
sauver	4	tasser	4	vendre	49
savoir	51	**tenir**	54	**venir***	56
secouer	4	tenter	4	**vêtir**	57
sembler	4	terminer	4	vider	4
sentir	39	tirer	4	visiter	4
servir	52	tomber	4	**vivre**	58
signer	4	toucher	4	**voir**	59
soigner	4	tourner	4	voler	4
songer	12	transporter	4	**vouloir**	60
sonner	4	travailler	4	voyager	12
sortir	39	traverser	4		

*Ce verbe se conjugue avec l'auxiliaire *être*.

Avoir

(1)

Le verbe *avoir* est aussi employé comme auxiliaire dans les temps composés.

INDICATIF

TEMPS SIMPLES		TEMPS COMPOSÉS		
Présent		**Passé composé**		
j'	ai	j'	ai	eu
tu	as	tu	as	eu
il/elle, on	a	il/elle, on	a	eu
nous	avons	nous	avons	eu
vous	avez	vous	avez	eu
ils/elles	ont	ils/elles	ont	eu
Imparfait		**Plus-que-parfait**		
j'	avais	j'	avais	eu
tu	avais	tu	avais	eu
il/elle, on	avait	il/elle, on	avait	eu
nous	avions	nous	avions	eu
vous	aviez	vous	aviez	eu
ils/elles	avaient	ils/elles	avaient	eu
Passé simple		**Passé antérieur**		
j'	eus	j'	eus	eu
tu	eus	tu	eus	eu
il/elle, on	eut	il/elle, on	eut	eu
nous	eûmes	nous	eûmes	eu
vous	eûtes	vous	eûtes	eu
ils/elles	eurent	ils/elles	eurent	eu
Conditionnel présent		**Conditionnel passé**		
j'	aurais	j'	aurais	eu
tu	aurais	tu	aurais	eu
il/elle, on	aurait	il/elle, on	aurait	eu
nous	aurions	nous	aurions	eu
vous	auriez	vous	auriez	eu
ils/elles	auraient	ils/elles	auraient	eu
Futur simple		**Futur antérieur**		
j'	aurai	j'	aurai	eu
tu	auras	tu	auras	eu
il/elle, on	aura	il/elle, on	aura	eu
nous	aurons	nous	aurons	eu
vous	aurez	vous	aurez	eu
ils/elles	auront	ils/elles	auront	eu

INFINITIF

Présent
avoir

PARTICIPE

Présent
ayant

Passé

eu	eus
eue	eues

IMPÉRATIF

Présent
aie
ayons
ayez

Futur proche

je	vais	avoir
tu	vas	avoir
il/elle, on	va	avoir
nous	allons	avoir
vous	allez	avoir
ils/elles	vont	avoir

SUBJONCTIF

Présent		**Passé**		
que j'	aie	que j'	aie	eu
que tu	aies	que tu	aies	eu
qu'il/elle, on	ait	qu'il/elle, on	ait	eu
que nous	ayons	que nous	ayons	eu
que vous	ayez	que vous	ayez	eu
qu'ils/elles	aient	qu'ils/elles	aient	eu

Être

INDICATIF

TEMPS SIMPLES		TEMPS COMPOSÉS		
Présent		**Passé composé**		
je	suis	j'	ai	été
tu	es	tu	as	été
il / elle, on	est	il / elle, on	a	été
nous	sommes	nous	avons	été
vous	êtes	vous	avez	été
ils / elles	sont	ils / elles	ont	été
Imparfait		**Plus-que-parfait**		
j'	étais	j'	avais	été
tu	étais	tu	avais	été
il / elle, on	était	il / elle, on	avait	été
nous	étions	nous	avions	été
vous	étiez	vous	aviez	été
ils / elles	étaient	ils / elles	avaient	été
Passé simple		**Passé antérieur**		
je	fus	j'	eus	été
tu	fus	tu	eus	été
il / elle, on	fut	il / elle, on	eut	été
nous	fûmes	nous	eûmes	été
vous	fûtes	vous	eûtes	été
ils / elles	furent	ils / elles	eurent	été
Conditionnel présent		**Conditionnel passé**		
je	serais	j'	aurais	été
tu	serais	tu	aurais	été
il / elle, on	serait	il / elle, on	aurait	été
nous	serions	nous	aurions	été
vous	seriez	vous	auriez	été
ils / elles	seraient	ils / elles	auraient	été
Futur simple		**Futur antérieur**		
je	serai	j'	aurai	été
tu	seras	tu	auras	été
il / elle, on	sera	il / elle, on	aura	été
nous	serons	nous	aurons	été
vous	serez	vous	aurez	été
ils / elles	seront	ils / elles	auront	été

SUBJONCTIF

Présent		**Passé**		
que je	sois	que j'	aie	été
que tu	sois	que tu	aies	été
qu'il / elle, on	soit	qu'il / elle, on	ait	été
que nous	soyons	que nous	ayons	été
que vous	soyez	que vous	ayez	été
qu'ils / elles	soient	qu'ils / elles	aient	été

** Être** (2)

Avec certains verbes, le verbe *être* est aussi employé comme auxiliaire dans les temps composés.

INFINITIF
Présent
être

PARTICIPE
Présent
étant

Passé
été

IMPÉRATIF
Présent
sois
soyons
soyez

Futur proche
je	vais	être
tu	vas	être
il / elle, on	va	être
nous	allons	être
vous	allez	être
ils / elles	vont	être

Le participe passé *été* est invariable.

INDICATIF

TEMPS SIMPLES		TEMPS COMPOSÉS		
Présent		**Passé composé**		
j'	achète	j'	ai	acheté
tu	achètes	tu	as	acheté
il/elle, on	achète	il/elle, on	a	acheté
nous	achetons	nous	avons	acheté
vous	achetez	vous	avez	acheté
ils/elles	achètent	ils/elles	ont	acheté
Imparfait		**Plus-que-parfait**		
j'	achetais	j'	avais	acheté
tu	achetais	tu	avais	acheté
il/elle, on	achetait	il/elle, on	avait	acheté
nous	achetions	nous	avions	acheté
vous	achetiez	vous	aviez	acheté
ils/elles	achetaient	ils/elles	avaient	acheté
Passé simple		**Passé antérieur**		
j'	achetai	j'	eus	acheté
tu	achetas	tu	eus	acheté
il/elle, on	acheta	il/elle, on	eut	acheté
nous	achetâmes	nous	eûmes	acheté
vous	achetâtes	vous	eûtes	acheté
ils/elles	achetèrent	ils/elles	eurent	acheté
Conditionnel présent		**Conditionnel passé**		
j'	achèterais	j'	aurais	acheté
tu	achèterais	tu	aurais	acheté
il/elle, on	achèterait	il/elle, on	aurait	acheté
nous	achèterions	nous	aurions	acheté
vous	achèteriez	vous	auriez	acheté
ils/elles	achèteraient	ils/elles	auraient	acheté
Futur simple		**Futur antérieur**		
j'	achèterai	j'	aurai	acheté
tu	achèteras	tu	auras	acheté
il/elle, on	achètera	il/elle, on	aura	acheté
nous	achèterons	nous	aurons	acheté
vous	achèterez	vous	aurez	acheté
ils/elles	achèteront	ils/elles	auront	acheté

Acheter ③

INFINITIF
Présent
acheter

PARTICIPE
Présent
achetant

Passé

acheté	achetés
achetée	achetées

IMPÉRATIF
Présent
achète
achetons
achetez

Futur proche

je	vais	acheter
tu	vas	acheter
il/elle, on	va	acheter
nous	allons	acheter
vous	allez	acheter
ils/elles	vont	acheter

SUBJONCTIF

Présent		**Passé**		
que j'	achète	que j'	aie	acheté
que tu	achètes	que tu	aies	acheté
qu'il/elle, on	achète	qu'il/elle, on	ait	acheté
que nous	achetions	que nous	ayons	acheté
que vous	achetiez	que vous	ayez	acheté
qu'ils/elles	achètent	qu'ils/elles	aient	acheté

INDICATIF			
Temps simples		**Temps composés**	

Présent		**Passé composé**	
j'	aim**e**	j'	ai aimé
tu	aim**es**	tu	as aimé
il / elle, on	aim**e**	il / elle, on	a aimé
nous	aim**ons**	nous	avons aimé
vous	aim**ez**	vous	avez aimé
ils / elles	aim**ent**	ils / elles	ont aimé

Imparfait		**Plus-que-parfait**	
j'	aim**ais**	j'	avais aimé
tu	aim**ais**	tu	avais aimé
il / elle, on	aim**ait**	il / elle, on	avait aimé
nous	aim**ions**	nous	avions aimé
vous	aim**iez**	vous	aviez aimé
ils / elles	aim**aient**	ils / elles	avaient aimé

Passé simple		**Passé antérieur**	
j'	aim**ai**	j'	eus aimé
tu	aim**as**	tu	eus aimé
il / elle, on	aim**a**	il / elle, on	eut aimé
nous	aim**âmes**	nous	eûmes aimé
vous	aim**âtes**	vous	eûtes aimé
ils / elles	aim**èrent**	ils / elles	eurent aimé

Conditionnel présent		**Conditionnel passé**	
j'	aim**erais**	j'	aurais aimé
tu	aim**erais**	tu	aurais aimé
il / elle, on	aim**erait**	il / elle, on	aurait aimé
nous	aim**erions**	nous	aurions aimé
vous	aim**eriez**	vous	auriez aimé
ils / elles	aim**eraient**	ils / elles	auraient aimé

Futur simple		**Futur antérieur**		**Futur proche**	
j'	aim**erai**	j'	aurai aimé	je	vais aimer
tu	aim**eras**	tu	auras aimé	tu	vas aimer
il / elle, on	aim**era**	il / elle, on	aura aimé	il / elle, on	va aimer
nous	aim**erons**	nous	aurons aimé	nous	allons aimer
vous	aim**erez**	vous	aurez aimé	vous	allez aimer
ils / elles	aim**eront**	ils / elles	auront aimé	ils / elles	vont aimer

SUBJONCTIF			
Présent		**Passé**	
que j'	aim**e**	que j'	aie aimé
que tu	aim**es**	que tu	aies aimé
qu'il / elle, on	aim**e**	qu'il / elle, on	ait aimé
que nous	aim**ions**	que nous	ayons aimé
que vous	aim**iez**	que vous	ayez aimé
qu'ils / elles	aim**ent**	qu'ils / elles	aient aimé

Aimer (4)

Plus de 4 000 verbes se conjuguent comme *aimer*, par exemple : ***ajouter, chanter, garder, marcher, trouver.***

INFINITIF
Présent
aim**er**

PARTICIPE
Présent
aim**ant**

Passé	
aim**é**	aim**és**
aim**ée**	aim**ées**

IMPÉRATIF
Présent
aim**e**
aim**ons**
aim**ez**

Le verbe **rappeler** se conjugue comme *appeler*.

INDICATIF

TEMPS SIMPLES		TEMPS COMPOSÉS		
Présent		**Passé composé**		
j'	appell**e**	j'	ai	appelé
tu	appell**es**	tu	as	appelé
il / elle, on	appell**e**	il / elle, on	a	appelé
nous	appel**ons**	nous	avons	appelé
vous	appel**ez**	vous	avez	appelé
ils / elles	appell**ent**	ils / elles	ont	appelé
Imparfait		**Plus-que-parfait**		
j'	appel**ais**	j'	avais	appelé
tu	appel**ais**	tu	avais	appelé
il / elle, on	appel**ait**	il / elle, on	avait	appelé
nous	appel**ions**	nous	avions	appelé
vous	appel**iez**	vous	aviez	appelé
ils / elles	appel**aient**	ils / elles	avaient	appelé
Passé simple		**Passé antérieur**		
j'	appel**ai**	j'	eus	appelé
tu	appel**as**	tu	eus	appelé
il / elle, on	appel**a**	il / elle, on	eut	appelé
nous	appel**âmes**	nous	eûmes	appelé
vous	appel**âtes**	vous	eûtes	appelé
ils / elles	appel**èrent**	ils / elles	eurent	appelé
Conditionnel présent		**Conditionnel passé**		
j'	appell**erais**	j'	aurais	appelé
tu	appell**erais**	tu	aurais	appelé
il / elle, on	appell**erait**	il / elle, on	aurait	appelé
nous	appell**erions**	nous	aurions	appelé
vous	appell**eriez**	vous	auriez	appelé
ils / elles	appell**eraient**	ils / elles	auraient	appelé
Futur simple		**Futur antérieur**		
j'	appell**erai**	j'	aurai	appelé
tu	appell**eras**	tu	auras	appelé
il / elle, on	appell**era**	il / elle, on	aura	appelé
nous	appell**erons**	nous	aurons	appelé
vous	appell**erez**	vous	aurez	appelé
ils / elles	appell**eront**	ils / elles	auront	appelé

SUBJONCTIF

Présent		**Passé**		
que j'	appell**e**	que j'	aie	appelé
que tu	appell**es**	que tu	aies	appelé
qu'il / elle, on	appell**e**	qu'il / elle, on	ait	appelé
que nous	appel**ions**	que nous	ayons	appelé
que vous	appel**iez**	que vous	ayez	appelé
qu'ils / elles	appell**ent**	qu'ils / elles	aient	appelé

INFINITIF

Présent
appel**er**

PARTICIPE

Présent
appel**ant**

Passé

appel**é**	appel**és**
appel**ée**	appel**ées**

IMPÉRATIF

Présent
appel**e**
appel**ons**
appel**ez**

Futur proche

je	vais	appeler
tu	vas	appeler
il / elle, on	va	appeler
nous	allons	appeler
vous	allez	appeler
ils / elles	vont	appeler

Broyer

6

INDICATIF

TEMPS SIMPLES		TEMPS COMPOSÉS		
Présent		**Passé composé**		
je	broie	j'	ai	broyé
tu	broies	tu	as	broyé
il/elle, on	broie	il/elle, on	a	broyé
nous	broyons	nous	avons	broyé
vous	broyez	vous	avez	broyé
ils/elles	broient	ils/elles	ont	broyé
Imparfait		**Plus-que-parfait**		
je	broyais	j'	avais	broyé
tu	broyais	tu	avais	broyé
il/elle, on	broyait	il/elle, on	avait	broyé
nous	broyions	nous	avions	broyé
vous	broyiez	vous	aviez	broyé
ils/elles	broyaient	ils/elles	avaient	broyé
Passé simple		**Passé antérieur**		
je	broyai	j'	eus	broyé
tu	broyas	tu	eus	broyé
il/elle, on	broya	il/elle, on	eut	broyé
nous	broyâmes	nous	eûmes	broyé
vous	broyâtes	vous	eûtes	broyé
ils/elles	broyèrent	ils/elles	eurent	broyé
Conditionnel présent		**Conditionnel passé**		
je	broierais	j'	aurais	broyé
tu	broierais	tu	aurais	broyé
il/elle, on	broierait	il/elle, on	aurait	broyé
nous	broierions	nous	aurions	broyé
vous	broieriez	vous	auriez	broyé
ils/elles	broieraient	ils/elles	auraient	broyé

Futur simple		**Futur antérieur**			**Futur proche**		
je	broierai	j'	aurai	broyé	je	vais	broyer
tu	broieras	tu	auras	broyé	tu	vas	broyer
il/elle, on	broiera	il/elle, on	aura	broyé	il/elle, on	va	broyer
nous	broierons	nous	aurons	broyé	nous	allons	broyer
vous	broierez	vous	aurez	broyé	vous	allez	broyer
ils/elles	broieront	ils/elles	auront	broyé	ils/elles	vont	broyer

SUBJONCTIF

Présent		**Passé**		
que je	broie	que j'	aie	broyé
que tu	broies	que tu	aies	broyé
qu'il/elle, on	broie	qu'il/elle, on	ait	broyé
que nous	broyions	que nous	ayons	broyé
que vous	broyiez	que vous	ayez	broyé
qu'ils/elles	broient	qu'ils/elles	aient	broyé

INFINITIF

Présent
broyer

PARTICIPE

Présent
broyant

Passé

broyé · · · · broyés
broyée · · · broyées

IMPÉRATIF

Présent
broie
broyons
broyez

Créer

INDICATIF

TEMPS SIMPLES		TEMPS COMPOSÉS		
Présent		**Passé composé**		
je	cré**e**	j'	ai	créé
tu	cré**es**	tu	as	créé
il/elle, on	cré**e**	il/elle, on	a	créé
nous	cré**ons**	nous	avons	créé
vous	cré**ez**	vous	avez	créé
ils/elles	cré**ent**	ils/elles	ont	créé
Imparfait		**Plus-que-parfait**		
je	cré**ais**	j'	avais	créé
tu	cré**ais**	tu	avais	créé
il/elle, on	cré**ait**	il/elle, on	avait	créé
nous	cré**ions**	nous	avions	créé
vous	cré**iez**	vous	aviez	créé
ils/elles	cré**aient**	ils/elles	avaient	créé
Passé simple		**Passé antérieur**		
je	cré**ai**	j'	eus	créé
tu	cré**as**	tu	eus	créé
il/elle, on	cré**a**	il/elle, on	eut	créé
nous	cré**âmes**	nous	eûmes	créé
vous	cré**âtes**	vous	eûtes	créé
ils/elles	cré**èrent**	ils/elles	eurent	créé
Conditionnel présent		**Conditionnel passé**		
je	cré**erais**	j'	aurais	créé
tu	cré**erais**	tu	aurais	créé
il/elle, on	cré**erait**	il/elle, on	aurait	créé
nous	cré**erions**	nous	aurions	créé
vous	cré**eriez**	vous	auriez	créé
ils/elles	cré**eraient**	ils/elles	auraient	créé

Futur simple		**Futur antérieur**			**Futur proche**		
je	cré**erai**	j'	aurai	créé	je	vais	créer
tu	cré**eras**	tu	auras	créé	tu	vas	créer
il/elle, on	cré**era**	il/elle, on	aura	créé	il/elle, on	va	créer
nous	cré**erons**	nous	aurons	créé	nous	allons	créer
vous	cré**erez**	vous	aurez	créé	vous	allez	créer
ils/elles	cré**eront**	ils/elles	auront	créé	ils/elles	vont	créer

SUBJONCTIF

Présent		**Passé**		
que je	cré**e**	que j'	aie	créé
que tu	cré**es**	que tu	aies	créé
qu'il/elle, on	cré**e**	qu'il/elle, on	ait	créé
que nous	cré**ions**	que nous	ayons	créé
que vous	cré**iez**	que vous	ayez	créé
qu'ils/elles	cré**ent**	qu'ils/elles	aient	créé

INFINITIF

Présent
cré**er**

PARTICIPE

Présent
cré**ant**

Passé

créé	créés
créée	créées

IMPÉRATIF

Présent
cré**e**
cré**ons**
cré**ez**

INDICATIF

TEMPS SIMPLES	TEMPS COMPOSÉS

Présent

j'	envoie
tu	envoies
il / elle, on	envoie
nous	envoyons
vous	envoyez
ils / elles	envoient

Passé composé

j'	ai	envoyé
tu	as	envoyé
il / elle, on	a	envoyé
nous	avons	envoyé
vous	avez	envoyé
ils / elles	ont	envoyé

Imparfait

j'	envoyais
tu	envoyais
il / elle, on	envoyait
nous	envoyions
vous	envoyiez
ils / elles	envoyaient

Plus-que-parfait

j'	avais	envoyé
tu	avais	envoyé
il / elle, on	avait	envoyé
nous	avions	envoyé
vous	aviez	envoyé
ils / elles	avaient	envoyé

INFINITIF

Présent

envoyer

Passé simple

j'	envoyai
tu	envoyas
il / elle, on	envoya
nous	envoyâmes
vous	envoyâtes
ils / elles	envoyèrent

Passé antérieur

j'	eus	envoyé
tu	eus	envoyé
il / elle, on	eut	envoyé
nous	eûmes	envoyé
vous	eûtes	envoyé
ils / elles	eurent	envoyé

PARTICIPE

Présent

envoyant

Passé

envoyé	envoyés
envoyée	envoyées

Conditionnel présent

j'	enverrais
tu	enverrais
il / elle, on	enverrait
nous	enverrions
vous	enverriez
ils / elles	enverraient

Conditionnel passé

j'	aurais	envoyé
tu	aurais	envoyé
il / elle, on	aurait	envoyé
nous	aurions	envoyé
vous	auriez	envoyé
ils / elles	auraient	envoyé

IMPÉRATIF

Présent

envoie
envoyons
envoyez

Futur simple

j'	enverrai
tu	enverras
il / elle, on	enverra
nous	enverrons
vous	enverrez
ils / elles	enverront

Futur antérieur

j'	aurai	envoyé
tu	auras	envoyé
il / elle, on	aura	envoyé
nous	aurons	envoyé
vous	aurez	envoyé
ils / elles	auront	envoyé

Futur proche

je	vais	envoyer
tu	vas	envoyer
il / elle, on	va	envoyer
nous	allons	envoyer
vous	allez	envoyer
ils / elles	vont	envoyer

SUBJONCTIF

Présent

que j'	envoie
que tu	envoies
qu'il / elle, on	envoie
que nous	envoyions
que vous	envoyiez
qu'ils / elles	envoient

Passé

que j'	aie	envoyé
que tu	aies	envoyé
qu'il / elle, on	ait	envoyé
que nous	ayons	envoyé
que vous	ayez	envoyé
qu'ils / elles	aient	envoyé

Étudier

9

INDICATIF		
TEMPS SIMPLES		**TEMPS COMPOSÉS**

Présent		**Passé composé**		
j'	étudie	j'	ai	étudié
tu	étudies	tu	as	étudié
il / elle, on	étudie	il / elle, on	a	étudié
nous	étudions	nous	avons	étudié
vous	étudiez	vous	avez	étudié
ils / elles	étudient	ils / elles	ont	étudié

Les verbes **crier, oublier** et **plier** se conjuguent comme *étudier*.

Imparfait		**Plus-que-parfait**		
j'	étudiais	j'	avais	étudié
tu	étudiais	tu	avais	étudié
il / elle, on	étudiait	il / elle, on	avait	étudié
nous	étudiions	nous	avions	étudié
vous	étudiiez	vous	aviez	étudié
ils / elles	étudiaient	ils / elles	avaient	étudié

INFINITIF
Présent
étudier

Passé simple		**Passé antérieur**		
j'	étudiai	j'	eus	étudié
tu	étudias	tu	eus	étudié
il / elle, on	étudia	il / elle, on	eut	étudié
nous	étudiâmes	nous	eûmes	étudié
vous	étudiâtes	vous	eûtes	étudié
ils / elles	étudièrent	ils / elles	eurent	étudié

PARTICIPE
Présent
étudiant

Passé
étudié   étudiés
étudiée   étudiées

Conditionnel présent		**Conditionnel passé**		
j'	étudierais	j'	aurais	étudié
tu	étudierais	tu	aurais	étudié
il / elle, on	étudierait	il / elle, on	aurait	étudié
nous	étudierions	nous	aurions	étudié
vous	étudieriez	vous	auriez	étudié
ils / elles	étudieraient	ils / elles	auraient	étudié

IMPÉRATIF
Présent
étudie
étudions
étudiez

Futur simple		**Futur antérieur**			**Futur proche**		
j'	étudierai	j'	aurai	étudié	je	vais	étudier
tu	étudieras	tu	auras	étudié	tu	vas	étudier
il / elle, on	étudiera	il / elle, on	aura	étudié	il / elle, on	va	étudier
nous	étudierons	nous	aurons	étudié	nous	allons	étudier
vous	étudierez	vous	aurez	étudié	vous	allez	étudier
ils / elles	étudieront	ils / elles	auront	étudié	ils / elles	vont	étudier

SUBJONCTIF			
Présent		**Passé**	
que j'	étudie	que j'	aie	étudié
que tu	étudies	que tu	aies	étudié
qu'il / elle, on	étudie	qu'il / elle, on	ait	étudié
que nous	étudiions	que nous	ayons	étudié
que vous	étudiiez	que vous	ayez	étudié
qu'ils / elles	étudient	qu'ils / elles	aient	étudié

Geler ⑩

INDICATIF

TEMPS SIMPLES		TEMPS COMPOSÉS		
Présent		**Passé composé**		
je	gèl**e**	j'	ai	gelé
tu	gèl**es**	tu	as	gelé
il / elle, on	gèl**e**	il / elle, on	a	gelé
nous	gel**ons**	nous	avons	gelé
vous	gel**ez**	vous	avez	gelé
ils / elles	gèl**ent**	ils / elles	ont	gelé
Imparfait		**Plus-que-parfait**		
je	gel**ais**	j'	avais	gelé
tu	gel**ais**	tu	avais	gelé
il / elle, on	gel**ait**	il / elle, on	avait	gelé
nous	gel**ions**	nous	avions	gelé
vous	gel**iez**	vous	aviez	gelé
ils / elles	gel**aient**	ils / elles	avaient	gelé
Passé simple		**Passé antérieur**		
je	gel**ai**	j'	eus	gelé
tu	gel**as**	tu	eus	gelé
il / elle, on	gel**a**	il / elle, on	eut	gelé
nous	gel**âmes**	nous	eûmes	gelé
vous	gel**âtes**	vous	eûtes	gelé
ils / elles	gel**èrent**	ils / elles	eurent	gelé
Conditionnel présent		**Conditionnel passé**		
je	gèl**erais**	j'	aurais	gelé
tu	gèl**erais**	tu	aurais	gelé
il / elle, on	gèl**erait**	il / elle, on	aurait	gelé
nous	gèl**erions**	nous	aurions	gelé
vous	gèl**eriez**	vous	auriez	gelé
ils / elles	gèl**eraient**	ils / elles	auraient	gelé
Futur simple		**Futur antérieur**		
je	gèl**erai**	j'	aurai	gelé
tu	gèl**eras**	tu	auras	gelé
il / elle, on	gèl**era**	il / elle, on	aura	gelé
nous	gèl**erons**	nous	aurons	gelé
vous	gèl**erez**	vous	aurez	gelé
ils / elles	gèl**eront**	ils / elles	auront	gelé

SUBJONCTIF

Présent		**Passé**		
que je	gèl**e**	que j'	aie	gelé
que tu	gèl**es**	que tu	aies	gelé
qu'il / elle, on	gèl**e**	qu'il / elle, on	ait	gelé
que nous	gel**ions**	que nous	ayons	gelé
que vous	gel**iez**	que vous	ayez	gelé
qu'ils / elles	gèl**ent**	qu'ils / elles	aient	gelé

INFINITIF

Présent
gel**er**

PARTICIPE

Présent
gel**ant**

Passé

gelé	gel**és**
gel**ée**	gel**ées**

IMPÉRATIF

Présent
gèl**e**
gel**ons**
gel**ez**

Futur proche

je	vais	geler
tu	vas	geler
il / elle, on	va	geler
nous	allons	geler
vous	allez	geler
ils / elles	vont	geler

Jeter 11

INDICATIF

TEMPS SIMPLES		TEMPS COMPOSÉS		
Présent		**Passé composé**		
je	jett**e**	j'	ai	jeté
tu	jett**es**	tu	as	jeté
il / elle, on	jett**e**	il / elle, on	a	jeté
nous	jet**ons**	nous	avons	jeté
vous	jet**ez**	vous	avez	jeté
ils / elles	jett**ent**	ils / elles	ont	jeté
Imparfait		**Plus-que-parfait**		
je	jet**ais**	j'	avais	jeté
tu	jet**ais**	tu	avais	jeté
il / elle, on	jet**ait**	il / elle, on	avait	jeté
nous	jet**ions**	nous	avions	jeté
vous	jet**iez**	vous	aviez	jeté
ils / elles	jet**aient**	ils / elles	avaient	jeté
Passé simple		**Passé antérieur**		
je	jet**ai**	j'	eus	jeté
tu	jet**as**	tu	eus	jeté
il / elle, on	jet**a**	il / elle, on	eut	jeté
nous	jet**âmes**	nous	eûmes	jeté
vous	jet**âtes**	vous	eûtes	jeté
ils / elles	jet**èrent**	ils / elles	eurent	jeté
Conditionnel présent		**Conditionnel passé**		
je	jett**erais**	j'	aurais	jeté
tu	jett**erais**	tu	aurais	jeté
il / elle, on	jett**erait**	il / elle, on	aurait	jeté
nous	jett**erions**	nous	aurions	jeté
vous	jett**eriez**	vous	auriez	jeté
ils / elles	jett**eraient**	ils / elles	auraient	jeté

Futur simple / Futur antérieur / Futur proche

Futur simple		Futur antérieur			Futur proche		
je	jett**erai**	j'	aurai	jeté	je	vais	jeter
tu	jett**eras**	tu	auras	jeté	tu	vas	jeter
il / elle, on	jett**era**	il / elle, on	aura	jeté	il / elle, on	va	jeter
nous	jett**erons**	nous	aurons	jeté	nous	allons	jeter
vous	jett**erez**	vous	aurez	jeté	vous	allez	jeter
ils / elles	jett**eront**	ils / elles	auront	jeté	ils / elles	vont	jeter

SUBJONCTIF

Présent		**Passé**		
que je	jett**e**	que j'	aie	jeté
que tu	jett**es**	que tu	aies	jeté
qu'il / elle, on	jett**e**	qu'il / elle, on	ait	jeté
que nous	jet**ions**	que nous	ayons	jeté
que vous	jet**iez**	que vous	ayez	jeté
qu'ils / elles	jett**ent**	qu'ils / elles	aient	jeté

INFINITIF

Présent
jet**er**

PARTICIPE

Présent
jet**ant**

Passé
jet**é**   jet**és**
jet**ée**   jet**ées**

IMPÉRATIF

Présent
jett**e**
jet**ons**
jet**ez**

Manger (12)

Plusieurs verbes se conjuguent comme *manger*: ***changer, nager, partager, ranger...***

INDICATIF

TEMPS SIMPLES		TEMPS COMPOSÉS		
Présent		**Passé composé**		
je	mange	j'	ai	mangé
tu	manges	tu	as	mangé
il/elle, on	mange	il/elle, on	a	mangé
nous	mangeons	nous	avons	mangé
vous	mangez	vous	avez	mangé
ils/elles	mangent	ils/elles	ont	mangé
Imparfait		**Plus-que-parfait**		
je	mangeais	j'	avais	mangé
tu	mangeais	tu	avais	mangé
il/elle, on	mangeait	il/elle, on	avait	mangé
nous	mangions	nous	avions	mangé
vous	mangiez	vous	aviez	mangé
ils/elles	mangeaient	ils/elles	avaient	mangé
Passé simple		**Passé antérieur**		
je	mangeai	j'	eus	mangé
tu	mangeas	tu	eus	mangé
il/elle, on	mangea	il/elle, on	eut	mangé
nous	mangeâmes	nous	eûmes	mangé
vous	mangeâtes	vous	eûtes	mangé
ils/elles	mangèrent	ils/elles	eurent	mangé
Conditionnel présent		**Conditionnel passé**		
je	mangerais	j'	aurais	mangé
tu	mangerais	tu	aurais	mangé
il/elle, on	mangerait	il/elle, on	aurait	mangé
nous	mangerions	nous	aurions	mangé
vous	mangeriez	vous	auriez	mangé
ils/elles	mangeraient	ils/elles	auraient	mangé

Futur simple		**Futur antérieur**			**Futur proche**		
je	mangerai	j'	aurai	mangé	je	vais	manger
tu	mangeras	tu	auras	mangé	tu	vas	manger
il/elle, on	mangera	il/elle, on	aura	mangé	il/elle, on	va	manger
nous	mangerons	nous	aurons	mangé	nous	allons	manger
vous	mangerez	vous	aurez	mangé	vous	allez	manger
ils/elles	mangeront	ils/elles	auront	mangé	ils/elles	vont	manger

SUBJONCTIF

Présent		**Passé**		
que je	mange	que j'	aie	mangé
que tu	manges	que tu	aies	mangé
qu'il/elle, on	mange	qu'il/elle, on	ait	mangé
que nous	mangions	que nous	ayons	mangé
que vous	mangiez	que vous	ayez	mangé
qu'ils/elles	mangent	qu'ils/elles	aient	mangé

INFINITIF

Présent
manger

PARTICIPE

Présent
mangeant

Passé
mangé — mangés
mangée — mangées

IMPÉRATIF

Présent
mange
mangeons
mangez

Le verbe *neiger* se conjugue seulement à la troisième personne du singulier, avec le pronom *il*.

Payer

INDICATIF

TEMPS SIMPLES		TEMPS COMPOSÉS		
Présent		**Passé composé**		
je	pai**e**/pay**e**	j'	ai	payé
tu	pai**es**/pay**es**	tu	as	payé
il / elle, on	pai**e**/pay**e**	il / elle, on	a	payé
nous	pay**ons**	nous	avons	payé
vous	pay**ez**	vous	avez	payé
ils / elles	pai**ent**/pay**ent**	ils / elles	ont	payé
Imparfait		**Plus-que-parfait**		
je	pay**ais**	j'	avais	payé
tu	pay**ais**	tu	avais	payé
il / elle, on	pay**ait**	il / elle, on	avait	payé
nous	pay**ions**	nous	avions	payé
vous	pay**iez**	vous	aviez	payé
ils / elles	pay**aient**	ils / elles	avaient	payé
Passé simple		**Passé antérieur**		
je	pay**ai**	j'	eus	payé
tu	pay**as**	tu	eus	payé
il / elle, on	pay**a**	il / elle, on	eut	payé
nous	pay**âmes**	nous	eûmes	payé
vous	pay**âtes**	vous	eûtes	payé
ils / elles	pay**èrent**	ils / elles	eurent	payé
Conditionnel présent		**Conditionnel passé**		
je	pai**erais**/pay**erais**	j'	aurais	payé
tu	pai**erais**/pay**erais**	tu	aurais	payé
il / elle, on	pai**erait**/pay**erait**	il / elle, on	aurait	payé
nous	pai**erions**/pay**erions**	nous	aurions	payé
vous	pai**eriez**/pay**eriez**	vous	auriez	payé
ils / elles	pai**eraient**/pay**eraient**	ils / elles	auraient	payé
Futur simple		**Futur antérieur**		
je	pai**erai**/pay**erai**	j'	aurai	payé
tu	pai**eras**/pay**eras**	tu	auras	payé
il / elle, on	pai**era**/pay**era**	il / elle, on	aura	payé
nous	pai**erons**/pay**erons**	nous	aurons	payé
vous	pai**erez**/pay**erez**	vous	aurez	payé
ils / elles	pai**eront**/pay**eront**	ils / elles	auront	payé

SUBJONCTIF

Présent		**Passé**		
que je	pai**e**/pay**e**	que j'	aie	payé
que tu	pai**es**/pay**es**	que tu	aies	payé
qu'il / elle, on	pai**e**/pay**e**	qu'il / elle, on	ait	payé
que nous	pay**ions**	que nous	ayons	payé
que vous	pay**iez**	que vous	ayez	payé
qu'ils / elles	pai**ent**/pay**ent**	qu'ils / elles	aient	payé

INFINITIF

Présent
pay**er**

PARTICIPE

Présent
pay**ant**

Passé

payé	payés
payée	payées

IMPÉRATIF

Présent
pai**e**/pay**e**
pay**ons**
pay**ez**

Futur proche

je	vais	payer
tu	vas	payer
il / elle, on	va	payer
nous	allons	payer
vous	allez	payer
ils / elles	vont	payer

INDICATIF

TEMPS SIMPLES		TEMPS COMPOSÉS		
Présent		**Passé composé**		
je	pès**e**	j'	ai	pesé
tu	pès**es**	tu	as	pesé
il / elle, on	pès**e**	il / elle, on	a	pesé
nous	pes**ons**	nous	avons	pesé
vous	pes**ez**	vous	avez	pesé
ils / elles	pès**ent**	ils / elles	ont	pesé
Imparfait		**Plus-que-parfait**		
je	pes**ais**	j'	avais	pesé
tu	pes**ais**	tu	avais	pesé
il / elle, on	pes**ait**	il / elle, on	avait	pesé
nous	pes**ions**	nous	avions	pesé
vous	pes**iez**	vous	aviez	pesé
ils / elles	pes**aient**	ils / elles	avaient	pesé
Passé simple		**Passé antérieur**		
je	pes**ai**	j'	eus	pesé
tu	pes**as**	tu	eus	pesé
il / elle, on	pes**a**	il / elle, on	eut	pesé
nous	pes**âmes**	nous	eûmes	pesé
vous	pes**âtes**	vous	eûtes	pesé
ils / elles	pes**èrent**	ils / elles	eurent	pesé
Conditionnel présent		**Conditionnel passé**		
je	pès**erais**	j'	aurais	pesé
tu	pès**erais**	tu	aurais	pesé
il / elle, on	pès**erait**	il / elle, on	aurait	pesé
nous	pès**erions**	nous	aurions	pesé
vous	pès**eriez**	vous	auriez	pesé
ils / elles	pès**eraient**	ils / elles	auraient	pesé

Futur simple		**Futur antérieur**			**Futur proche**		
je	pès**erai**	j'	aurai	pesé	je	vais	peser
tu	pès**eras**	tu	auras	pesé	tu	vas	peser
il / elle, on	pès**era**	il / elle, on	aura	pesé	il / elle, on	va	peser
nous	pès**erons**	nous	aurons	pesé	nous	allons	peser
vous	pès**erez**	vous	aurez	pesé	vous	allez	peser
ils / elles	pès**eront**	ils / elles	auront	pesé	ils / elles	vont	peser

SUBJONCTIF

Présent		**Passé**		
que je	pès**e**	que j'	aie	pesé
que tu	pès**es**	que tu	aies	pesé
qu'il / elle, on	pès**e**	qu'il / elle, on	ait	pesé
que nous	pes**ions**	que nous	ayons	pesé
que vous	pes**iez**	que vous	ayez	pesé
qu'ils / elles	pès**ent**	qu'ils / elles	aient	pesé

Peser ⑭

Plusieurs verbes se conjuguent comme *peser*: **amener, lever, mener, promener...**

INFINITIF

Présent
pes**er**

PARTICIPE

Présent
pes**ant**

Passé

pes**é**	pes**és**
pes**ée**	pes**ées**

IMPÉRATIF

Présent
pès**e**
pes**ons**
pes**ez**

Placer (15)

TEMPS SIMPLES		TEMPS COMPOSÉS		
Présent		**Passé composé**		
je	plac**e**	j'	ai	placé
tu	plac**es**	tu	as	placé
il / elle, on	plac**e**	il / elle, on	a	placé
nous	plaç**ons**	nous	avons	placé
vous	plac**ez**	vous	avez	placé
ils / elles	plac**ent**	ils / elles	ont	placé
Imparfait		**Plus-que-parfait**		
je	plaç**ais**	j'	avais	placé
tu	plaç**ais**	tu	avais	placé
il / elle, on	plaç**ait**	il / elle, on	avait	placé
nous	plac**ions**	nous	avions	placé
vous	plac**iez**	vous	aviez	placé
ils / elles	plaç**aient**	ils / elles	avaient	placé
Passé simple		**Passé antérieur**		
je	plaç**ai**	j'	eus	placé
tu	plaç**as**	tu	eus	placé
il / elle, on	plaç**a**	il / elle, on	eut	placé
nous	plaç**âmes**	nous	eûmes	placé
vous	plaç**âtes**	vous	eûtes	placé
ils / elles	plac**èrent**	ils / elles	eurent	placé
Conditionnel présent		**Conditionnel passé**		
je	plac**erais**	j'	aurais	placé
tu	plac**erais**	tu	aurais	placé
il / elle, on	plac**erait**	il / elle, on	aurait	placé
nous	plac**erions**	nous	aurions	placé
vous	plac**eriez**	vous	auriez	placé
ils / elles	plac**eraient**	ils / elles	auraient	placé
Futur simple		**Futur antérieur**		
je	plac**erai**	j'	aurai	placé
tu	plac**eras**	tu	auras	placé
il / elle, on	plac**era**	il / elle, on	aura	placé
nous	plac**erons**	nous	aurons	placé
vous	plac**erez**	vous	aurez	placé
ils / elles	plac**eront**	ils / elles	auront	placé

SUBJONCTIF

Présent		**Passé**		
que je	plac**e**	que j'	aie	placé
que tu	plac**es**	que tu	aies	placé
qu'il / elle, on	plac**e**	qu'il / elle, on	ait	placé
que nous	plac**ions**	que nous	ayons	placé
que vous	plac**iez**	que vous	ayez	placé
qu'ils / elles	plac**ent**	qu'ils / elles	aient	placé

Beaucoup de verbes se conjuguent comme *placer*: **avancer, bercer, commencer, effacer, lancer...**

INFINITIF

Présent
plac**er**

PARTICIPE

Présent
plaç**ant**

Passé

plac**é**	plac**és**
plac**ée**	plac**ées**

IMPÉRATIF

Présent
plac**e**
plaç**ons**
plac**ez**

Futur proche		
je	vais	placer
tu	vas	placer
il / elle, on	va	placer
nous	allons	placer
vous	allez	placer
ils / elles	vont	placer

Protéger 16

INDICATIF

TEMPS SIMPLES		TEMPS COMPOSÉS		

Présent / Passé composé

	Présent			Passé composé	
je	protège	j'	ai	protégé
tu	protèges	tu	as	protégé
il/elle, on	protège	il/elle, on	a	protégé
nous	protégeons	nous	avons	protégé
vous	protégez	vous	avez	protégé
ils/elles	protègent	ils/elles	ont	protégé

Imparfait / Plus-que-parfait

	Imparfait			Plus-que-parfait	
je	protégeais	j'	avais	protégé
tu	protégeais	tu	avais	protégé
il/elle, on	protégeait	il/elle, on	avait	protégé
nous	protégions	nous	avions	protégé
vous	protégiez	vous	aviez	protégé
ils/elles	protégeaient	ils/elles	avaient	protégé

Passé simple / Passé antérieur

	Passé simple			Passé antérieur	
je	protégeai	j'	eus	protégé
tu	protégeas	tu	eus	protégé
il/elle, on	protégea	il/elle, on	eut	protégé
nous	protégeâmes	nous	eûmes	protégé
vous	protégeâtes	vous	eûtes	protégé
ils/elles	protégèrent	ils/elles	eurent	protégé

Conditionnel présent / Conditionnel passé

	Conditionnel présent			Conditionnel passé	
je	protégerais	j'	aurais	protégé
tu	protégerais	tu	aurais	protégé
il/elle, on	protégerait	il/elle, on	aurait	protégé
nous	protégerions	nous	aurions	protégé
vous	protégeriez	vous	auriez	protégé
ils/elles	protégeraient	ils/elles	auraient	protégé

Futur simple / Futur antérieur / Futur proche

	Futur simple			Futur antérieur			Futur proche	
je	protégerai	j'	aurai	protégé	je	vais	protéger
tu	protégeras	tu	auras	protégé	tu	vas	protéger
il/elle, on	protégera	il/elle, on	aura	protégé	il/elle, on	va	protéger
nous	protégerons	nous	aurons	protégé	nous	allons	protéger
vous	protégerez	vous	aurez	protégé	vous	allez	protéger
ils/elles	protégeront	ils/elles	auront	protégé	ils/elles	vont	protéger

INFINITIF

Présent
protéger

PARTICIPE

Présent
protégeant

Passé
protégé   protégés
protégée   protégées

IMPÉRATIF

Présent
protège
protégeons
protégez

SUBJONCTIF

	Présent			Passé	
que je	protège	que j'	aie	protégé
que tu	protèges	que tu	aies	protégé
qu'il/elle, on	protège	qu'il/elle, on	ait	protégé
que nous	protégions	que nous	ayons	protégé
que vous	protégiez	que vous	ayez	protégé
qu'ils/elles	protègent	qu'ils/elles	aient	protégé

INDICATIF		
TEMPS SIMPLES	**TEMPS COMPOSÉS**	

Présent		**Passé composé**		
je	règle	j'	ai	réglé
tu	règles	tu	as	réglé
il / elle, on	règle	il / elle, on	a	réglé
nous	réglons	nous	avons	réglé
vous	réglez	vous	avez	réglé
ils / elles	règlent	ils / elles	ont	réglé

Imparfait		**Plus-que-parfait**		
je	réglais	j'	avais	réglé
tu	réglais	tu	avais	réglé
il / elle, on	réglait	il / elle, on	avait	réglé
nous	réglions	nous	avions	réglé
vous	régliez	vous	aviez	réglé
ils / elles	réglaient	ils / elles	avaient	réglé

Passé simple		**Passé antérieur**		
je	réglai	j'	eus	réglé
tu	réglas	tu	eus	réglé
il / elle, on	régla	il / elle, on	eut	réglé
nous	réglâmes	nous	eûmes	réglé
vous	réglâtes	vous	eûtes	réglé
ils / elles	réglèrent	ils / elles	eurent	réglé

Conditionnel présent		**Conditionnel passé**		
je	réglerais	j'	aurais	réglé
tu	réglerais	tu	aurais	réglé
il / elle, on	réglerait	il / elle, on	aurait	réglé
nous	réglerions	nous	aurions	réglé
vous	régleriez	vous	auriez	réglé
ils / elles	régleraient	ils / elles	auraient	réglé

Futur simple		**Futur antérieur**			**Futur proche**		
je	réglerai	j'	aurai	réglé	je	vais	régler
tu	régleras	tu	auras	réglé	tu	vas	régler
il / elle, on	réglera	il / elle, on	aura	réglé	il / elle, on	va	régler
nous	réglerons	nous	aurons	réglé	nous	allons	régler
vous	réglerez	vous	aurez	réglé	vous	allez	régler
ils / elles	régleront	ils / elles	auront	réglé	ils / elles	vont	régler

SUBJONCTIF		

Présent		**Passé**		
que je	règle	que j'	aie	réglé
que tu	règles	que tu	aies	réglé
qu'il / elle, on	règle	qu'il / elle, on	ait	réglé
que nous	réglions	que nous	ayons	réglé
que vous	régliez	que vous	ayez	réglé
qu'ils / elles	règlent	qu'ils / elles	aient	réglé

Régler 17

Les verbes **espérer** et **posséder** se conjuguent comme *régler*.

INFINITIF
Présent
régler

PARTICIPE
Présent
réglant

Passé	
réglé	réglés
réglée	réglées

IMPÉRATIF
Présent
règle
réglons
réglez

INDICATIF		

TEMPS SIMPLES		TEMPS COMPOSÉS		
Présent		**Passé composé**		
je	fini**s**	j'	ai	fini
tu	fini**s**	tu	as	fini
il / elle, on	fini**t**	il / elle, on	a	fini
nous	finiss**ons**	nous	avons	fini
vous	finiss**ez**	vous	avez	fini
ils / elles	finiss**ent**	ils / elles	ont	fini
Imparfait		**Plus-que-parfait**		
je	finiss**ais**	j'	avais	fini
tu	finiss**ais**	tu	avais	fini
il / elle, on	finiss**ait**	il / elle, on	avait	fini
nous	finiss**ions**	nous	avions	fini
vous	finiss**iez**	vous	aviez	fini
ils / elles	finiss**aient**	ils / elles	avaient	fini
Passé simple		**Passé antérieur**		
je	fini**s**	j'	eus	fini
tu	fini**s**	tu	eus	fini
il / elle, on	fini**t**	il / elle, on	eut	fini
nous	fin**îmes**	nous	eûmes	fini
vous	fin**îtes**	vous	eûtes	fini
ils / elles	fini**rent**	ils / elles	eurent	fini
Conditionnel présent		**Conditionnel passé**		
je	fini**rais**	j'	aurais	fini
tu	fini**rais**	tu	aurais	fini
il / elle, on	fini**rait**	il / elle, on	aurait	fini
nous	fini**rions**	nous	aurions	fini
vous	fini**riez**	vous	auriez	fini
ils / elles	fini**raient**	ils / elles	auraient	fini
Futur simple		**Futur antérieur**		
je	fini**rai**	j'	aurai	fini
tu	fini**ras**	tu	auras	fini
il / elle, on	fini**ra**	il / elle, on	aura	fini
nous	fini**rons**	nous	aurons	fini
vous	fini**rez**	vous	aurez	fini
ils / elles	fini**ront**	ils / elles	auront	fini

SUBJONCTIF		

Présent		**Passé**		
que je	finiss**e**	que j'	aie	fini
que tu	finiss**es**	que tu	aies	fini
qu'il / elle, on	finiss**e**	qu'il / elle, on	ait	fini
que nous	finiss**ions**	que nous	ayons	fini
que vous	finiss**iez**	que vous	ayez	fini
qu'ils / elles	finiss**ent**	qu'ils / elles	aient	fini

Finir (18)

Plus de 300 verbes se conjuguent comme *finir*, par exemple : **avertir, bâtir, choisir, grossir, réussir, unir.**

INFINITIF
Présent
fin**ir**

PARTICIPE
Présent
finiss**ant**
Passé
fini   fin**is**
fin**ie**   fin**ies**

IMPÉRATIF
Présent
fini**s**
finiss**ons**
finiss**ez**

Futur proche		
je	vais	finir
tu	vas	finir
il / elle, on	va	finir
nous	allons	finir
vous	allez	finir
ils / elles	vont	finir

Aller

INDICATIF		
TEMPS SIMPLES	**TEMPS COMPOSÉS**	

Présent / Passé composé

je	v**ais**	je	suis	allé / allée
tu	v**as**	tu	es	allé / allée
il / elle, on	v**a**	il / elle, on	est	allé / allée
nous	all**ons**	nous	sommes	allés / allées
vous	all**ez**	vous	êtes	allés / allées
ils / elles	v**ont**	ils / elles	sont	allés / allées

Imparfait / Plus-que-parfait

j'	all**ais**	j'	étais	allé / allée
tu	all**ais**	tu	étais	allé / allée
il / elle, on	all**ait**	il / elle, on	était	allé / allée
nous	all**ions**	nous	étions	allés / allées
vous	all**iez**	vous	étiez	allés / allées
ils / elles	all**aient**	ils / elles	étaient	allés / allées

INFINITIF

Présent
all**er**

Passé simple / Passé antérieur

j'	all**ai**	je	fus	allé / allée
tu	all**as**	tu	fus	allé / allée
il / elle, on	all**a**	il / elle, on	fut	allé / allée
nous	all**âmes**	nous	fûmes	allés / allées
vous	all**âtes**	vous	fûtes	allés / allées
ils / elles	all**èrent**	ils / elles	furent	allés / allées

PARTICIPE

Présent
all**ant**

Passé
all**é**   all**és**
all**ée**   all**ées**

Conditionnel présent / Conditionnel passé

j'	ir**ais**	je	serais	allé / allée
tu	ir**ais**	tu	serais	allé / allée
il / elle, on	ir**ait**	il / elle, on	serait	allé / allée
nous	ir**ions**	nous	serions	allés / allées
vous	ir**iez**	vous	seriez	allés / allées
ils / elles	ir**aient**	ils / elles	seraient	allés / allées

IMPÉRATIF

Présent
v**a**
all**ons**
all**ez**

Futur simple / Futur antérieur / Futur proche

j'	ir**ai**	je	serai	allé / allée	je	vais	aller
tu	ir**as**	tu	seras	allé / allée	tu	vas	aller
il / elle, on	ir**a**	il / elle, on	sera	allé / allée	il / elle, on	va	aller
nous	ir**ons**	nous	serons	allés / allées	nous	allons	aller
vous	ir**ez**	vous	serez	allés / allées	vous	allez	aller
ils / elles	ir**ont**	ils / elles	seront	allés / allées	ils / elles	vont	aller

SUBJONCTIF

Présent / Passé

que j'	aill**e**	que je	sois	allé / allée
que tu	aill**es**	que tu	sois	allé / allée
qu'il / elle, on	aill**e**	qu'il / elle, on	soit	allé / allée
que nous	all**ions**	que nous	soyons	allés / allées
que vous	all**iez**	que vous	soyez	allés / allées
qu'ils / elles	aill**ent**	qu'ils / elles	soient	allés / allées

Asseoir 20

INDICATIF

TEMPS SIMPLES		TEMPS COMPOSÉS		
Présent		**Passé composé**		
j'	assoi**s**	j'	ai	assis
tu	assoi**s**	tu	as	assis
il / elle, on	assoi**t**	il / elle, on	a	assis
nous	assoy**ons**	nous	avons	assis
vous	assoy**ez**	vous	avez	assis
ils / elles	assoi**ent**	ils / elles	ont	assis
Imparfait		**Plus-que-parfait**		
j'	assoy**ais**	j'	avais	assis
tu	assoy**ais**	tu	avais	assis
il / elle, on	assoy**ait**	il / elle, on	avait	assis
nous	assoy**ions**	nous	avions	assis
vous	assoy**iez**	vous	aviez	assis
ils / elles	assoy**aient**	ils / elles	avaient	assis
Passé simple		**Passé antérieur**		
j'	ass**is**	j'	eus	assis
tu	ass**is**	tu	eus	assis
il / elle, on	ass**it**	il / elle, on	eut	assis
nous	ass**îmes**	nous	eûmes	assis
vous	ass**îtes**	vous	eûtes	assis
ils / elles	ass**irent**	ils / elles	eurent	assis
Conditionnel présent		**Conditionnel passé**		
j'	assoi**rais**	j'	aurais	assis
tu	assoi**rais**	tu	aurais	assis
il / elle, on	assoi**rait**	il / elle, on	aurait	assis
nous	assoi**rions**	nous	aurions	assis
vous	assoi**riez**	vous	auriez	assis
ils / elles	assoi**raient**	ils / elles	auraient	assis

Futur simple		**Futur antérieur**			**Futur proche**		
j'	assoi**rai**	j'	aurai	assis	je	vais	asseoir
tu	assoi**ras**	tu	auras	assis	tu	vas	asseoir
il / elle, on	assoi**ra**	il / elle, on	aura	assis	il / elle, on	va	asseoir
nous	assoi**rons**	nous	aurons	assis	nous	allons	asseoir
vous	assoi**rez**	vous	aurez	assis	vous	allez	asseoir
ils / elles	assoi**ront**	ils / elles	auront	assis	ils / elles	vont	asseoir

SUBJONCTIF

Présent		**Passé**		
que j'	assoi**e**	que j'	aie	assis
que tu	assoi**es**	que tu	aies	assis
qu'il / elle, on	assoi**e**	qu'il / elle, on	ait	assis
que nous	assoy**ions**	que nous	ayons	assis
que vous	assoy**iez**	que vous	ayez	assis
qu'ils / elles	assoi**ent**	qu'ils / elles	aient	assis

INFINITIF

Présent
asse**oir**

PARTICIPE

Présent
assoy**ant**

Passé
assi**s**   assi**s**
assi**se**   assi**ses**

IMPÉRATIF

Présent
assoi**s**
assoy**ons**
assoy**ez**

Battre

INDICATIF

TEMPS SIMPLES		TEMPS COMPOSÉS		
Présent		**Passé composé**		
je	bat**s**	j'	ai	battu
tu	bat**s**	tu	as	battu
il/elle, on	bat	il/elle, on	a	battu
nous	batt**ons**	nous	avons	battu
vous	batt**ez**	vous	avez	battu
ils/elles	batt**ent**	ils/elles	ont	battu
Imparfait		**Plus-que-parfait**		
je	batt**ais**	j'	avais	battu
tu	batt**ais**	tu	avais	battu
il/elle, on	batt**ait**	il/elle, on	avait	battu
nous	batt**ions**	nous	avions	battu
vous	batt**iez**	vous	aviez	battu
ils/elles	batt**aient**	ils/elles	avaient	battu
Passé simple		**Passé antérieur**		
je	batt**is**	j'	eus	battu
tu	batt**is**	tu	eus	battu
il/elle, on	batt**it**	il/elle, on	eut	battu
nous	batt**îmes**	nous	eûmes	battu
vous	batt**îtes**	vous	eûtes	battu
ils/elles	batt**irent**	ils/elles	eurent	battu
Conditionnel présent		**Conditionnel passé**		
je	batt**rais**	j'	aurais	battu
tu	batt**rais**	tu	aurais	battu
il/elle, on	batt**rait**	il/elle, on	aurait	battu
nous	batt**rions**	nous	aurions	battu
vous	batt**riez**	vous	auriez	battu
ils/elles	batt**raient**	ils/elles	auraient	battu

Futur simple		**Futur antérieur**			**Futur proche**		
je	batt**rai**	j'	aurai	battu	je	vais	battre
tu	batt**ras**	tu	auras	battu	tu	vas	battre
il/elle, on	batt**ra**	il/elle, on	aura	battu	il/elle, on	va	battre
nous	batt**rons**	nous	aurons	battu	nous	allons	battre
vous	batt**rez**	vous	aurez	battu	vous	allez	battre
ils/elles	batt**ront**	ils/elles	auront	battu	ils/elles	vont	battre

INFINITIF

Présent
batt**re**

PARTICIPE

Présent
batt**ant**

Passé
batt**u**   batt**us**
batt**ue**   batt**ues**

IMPÉRATIF

Présent
bat**s**
batt**ons**
batt**ez**

SUBJONCTIF

Présent		**Passé**		
que je	batt**e**	que j'	aie	battu
que tu	batt**es**	que tu	aies	battu
qu'il/elle, on	batt**e**	qu'il/elle, on	ait	battu
que nous	batt**ions**	que nous	ayons	battu
que vous	batt**iez**	que vous	ayez	battu
qu'ils/elles	batt**ent**	qu'ils/elles	aient	battu

Boire

INDICATIF

TEMPS SIMPLES		TEMPS COMPOSÉS		
Présent		**Passé composé**		
je	bois	j'	ai	bu
tu	bois	tu	as	bu
il/elle, on	boit	il/elle, on	a	bu
nous	buvons	nous	avons	bu
vous	buvez	vous	avez	bu
ils/elles	boivent	ils/elles	ont	bu
Imparfait		**Plus-que-parfait**		
je	buvais	j'	avais	bu
tu	buvais	tu	avais	bu
il/elle, on	buvait	il/elle, on	avait	bu
nous	buvions	nous	avions	bu
vous	buviez	vous	aviez	bu
ils/elles	buvaient	ils/elles	avaient	bu
Passé simple		**Passé antérieur**		
je	bus	j'	eus	bu
tu	bus	tu	eus	bu
il/elle, on	but	il/elle, on	eut	bu
nous	bûmes	nous	eûmes	bu
vous	bûtes	vous	eûtes	bu
ils/elles	burent	ils/elles	eurent	bu
Conditionnel présent		**Conditionnel passé**		
je	boirais	j'	aurais	bu
tu	boirais	tu	aurais	bu
il/elle, on	boirait	il/elle, on	aurait	bu
nous	boirions	nous	aurions	bu
vous	boiriez	vous	auriez	bu
ils/elles	boiraient	ils/elles	auraient	bu
Futur simple		**Futur antérieur**		
je	boirai	j'	aurai	bu
tu	boiras	tu	auras	bu
il/elle, on	boira	il/elle, on	aura	bu
nous	boirons	nous	aurons	bu
vous	boirez	vous	aurez	bu
ils/elles	boiront	ils/elles	auront	bu

SUBJONCTIF

Présent		**Passé**		
que je	boive	que j'	aie	bu
que tu	boives	que tu	aies	bu
qu'il/elle, on	boive	qu'il/elle, on	ait	bu
que nous	buvions	que nous	ayons	bu
que vous	buviez	que vous	ayez	bu
qu'ils/elles	boivent	qu'ils/elles	aient	bu

INFINITIF

Présent
boire

PARTICIPE

Présent
buvant

Passé

bu	bus
bue	bues

IMPÉRATIF

Présent
bois
buvons
buvez

Futur proche

je	vais	boire
tu	vas	boire
il/elle, on	va	boire
nous	allons	boire
vous	allez	boire
ils/elles	vont	boire

Bouillir

23

INDICATIF

TEMPS SIMPLES		TEMPS COMPOSÉS		
Présent		**Passé composé**		
je	bou**s**	j'	ai	bouilli
tu	bou**s**	tu	as	bouilli
il / elle, on	bou**t**	il / elle, on	a	bouilli
nous	bouill**ons**	nous	avons	bouilli
vous	bouill**ez**	vous	avez	bouilli
ils / elles	bouill**ent**	ils / elles	ont	bouilli
Imparfait		**Plus-que-parfait**		
je	bouill**ais**	j'	avais	bouilli
tu	bouill**ais**	tu	avais	bouilli
il / elle, on	bouill**ait**	il / elle, on	avait	bouilli
nous	bouill**ions**	nous	avions	bouilli
vous	bouill**iez**	vous	aviez	bouilli
ils / elles	bouill**aient**	ils / elles	avaient	bouilli
Passé simple		**Passé antérieur**		
je	bouill**is**	j'	eus	bouilli
tu	bouill**is**	tu	eus	bouilli
il / elle, on	bouill**it**	il / elle, on	eut	bouilli
nous	bouill**îmes**	nous	eûmes	bouilli
vous	bouill**îtes**	vous	eûtes	bouilli
ils / elles	bouill**irent**	ils / elles	eurent	bouilli
Conditionnel présent		**Conditionnel passé**		
je	bouill**irais**	j'	aurais	bouilli
tu	bouill**irais**	tu	aurais	bouilli
il / elle, on	bouill**irait**	il / elle, on	aurait	bouilli
nous	bouill**irions**	nous	aurions	bouilli
vous	bouill**iriez**	vous	auriez	bouilli
ils / elles	bouill**iraient**	ils / elles	auraient	bouilli
Futur simple		**Futur antérieur**		
je	bouill**irai**	j'	aurai	bouilli
tu	bouill**iras**	tu	auras	bouilli
il / elle, on	bouill**ira**	il / elle, on	aura	bouilli
nous	bouill**irons**	nous	aurons	bouilli
vous	bouill**irez**	vous	aurez	bouilli
ils / elles	bouill**iront**	ils / elles	auront	bouilli

INFINITIF

Présent
bouill**ir**

PARTICIPE

Présent
bouill**ant**

Passé

bouill**i**	bouill**is**
bouill**ie**	bouill**ies**

IMPÉRATIF

Présent
bous
bouill**ons**
bouill**ez**

Futur proche

je	vais	bouillir
tu	vas	bouillir
il / elle, on	va	bouillir
nous	allons	bouillir
vous	allez	bouillir
ils / elles	vont	bouillir

SUBJONCTIF

Présent		**Passé**		
que je	bouill**e**	que j'	aie	bouilli
que tu	bouill**es**	que tu	aies	bouilli
qu'il / elle, on	bouill**e**	qu'il / elle, on	ait	bouilli
que nous	bouill**ions**	que nous	ayons	bouilli
que vous	bouill**iez**	que vous	ayez	bouilli
qu'ils / elles	bouill**ent**	qu'ils / elles	aient	bouilli

Connaître

Le verbe **paraître** se conjugue comme *connaître*.

INDICATIF

TEMPS SIMPLES		TEMPS COMPOSÉS		
Présent		**Passé composé**		
je	connai**s**	j'	ai	connu
tu	connai**s**	tu	as	connu
il / elle, on	connaî**t**	il / elle, on	a	connu
nous	connaiss**ons**	nous	avons	connu
vous	connaiss**ez**	vous	avez	connu
ils / elles	connaiss**ent**	ils / elles	ont	connu
Imparfait		**Plus-que-parfait**		
je	connaiss**ais**	j'	avais	connu
tu	connaiss**ais**	tu	avais	connu
il / elle, on	connaiss**ait**	il / elle, on	avait	connu
nous	connaiss**ions**	nous	avions	connu
vous	connaiss**iez**	vous	aviez	connu
ils / elles	connaiss**aient**	ils / elles	avaient	connu
Passé simple		**Passé antérieur**		
je	conn**us**	j'	eus	connu
tu	conn**us**	tu	eus	connu
il / elle, on	conn**ut**	il / elle, on	eut	connu
nous	conn**ûmes**	nous	eûmes	connu
vous	conn**ûtes**	vous	eûtes	connu
ils / elles	conn**urent**	ils / elles	eurent	connu
Conditionnel présent		**Conditionnel passé**		
je	connaît**rais**	j'	aurais	connu
tu	connaît**rais**	tu	aurais	connu
il / elle, on	connaît**rait**	il / elle, on	aurait	connu
nous	connaît**rions**	nous	aurions	connu
vous	connaît**riez**	vous	auriez	connu
ils / elles	connaît**raient**	ils / elles	auraient	connu
Futur simple		**Futur antérieur**		
je	connaît**rai**	j'	aurai	connu
tu	connaît**ras**	tu	auras	connu
il / elle, on	connaît**ra**	il / elle, on	aura	connu
nous	connaît**rons**	nous	aurons	connu
vous	connaît**rez**	vous	aurez	connu
ils / elles	connaît**ront**	ils / elles	auront	connu

SUBJONCTIF

Présent		**Passé**		
que je	connaiss**e**	que j'	aie	connu
que tu	connaiss**es**	que tu	aies	connu
qu'il / elle, on	connaiss**e**	qu'il / elle, on	ait	connu
que nous	connaiss**ions**	que nous	ayons	connu
que vous	connaiss**iez**	que vous	ayez	connu
qu'ils / elles	connaiss**ent**	qu'ils / elles	aient	connu

INFINITIF

Présent
connaî**tre**

PARTICIPE

Présent
connaiss**ant**

Passé
conn**u**	conn**us**
conn**ue**	conn**ues**

IMPÉRATIF

Présent
connai**s**
connaiss**ons**
connaiss**ez**

Futur proche

je	vais	connaître
tu	vas	connaître
il / elle, on	va	connaître
nous	allons	connaître
vous	allez	connaître
ils / elles	vont	connaître

Courir

INDICATIF

TEMPS SIMPLES		TEMPS COMPOSÉS		
Présent		**Passé composé**		
je	cours	j'	ai	couru
tu	cours	tu	as	couru
il/elle, on	court	il/elle, on	a	couru
nous	courons	nous	avons	couru
vous	courez	vous	avez	couru
ils/elles	courent	ils/elles	ont	couru
Imparfait		**Plus-que-parfait**		
je	courais	j'	avais	couru
tu	courais	tu	avais	couru
il/elle, on	courait	il/elle, on	avait	couru
nous	courions	nous	avions	couru
vous	couriez	vous	aviez	couru
ils/elles	couraient	ils/elles	avaient	couru
Passé simple		**Passé antérieur**		
je	courus	j'	eus	couru
tu	courus	tu	eus	couru
il/elle, on	courut	il/elle, on	eut	couru
nous	courûmes	nous	eûmes	couru
vous	courûtes	vous	eûtes	couru
ils/elles	coururent	ils/elles	eurent	couru
Conditionnel présent		**Conditionnel passé**		
je	courrais	j'	aurais	couru
tu	courrais	tu	aurais	couru
il/elle, on	courrait	il/elle, on	aurait	couru
nous	courrions	nous	aurions	couru
vous	courriez	vous	auriez	couru
ils/elles	courraient	ils/elles	auraient	couru

Futur simple		**Futur antérieur**			**Futur proche**		
je	courrai	j'	aurai	couru	je	vais	courir
tu	courras	tu	auras	couru	tu	vas	courir
il/elle, on	courra	il/elle, on	aura	couru	il/elle, on	va	courir
nous	courrons	nous	aurons	couru	nous	allons	courir
vous	courrez	vous	aurez	couru	vous	allez	courir
ils/elles	courront	ils/elles	auront	couru	ils/elles	vont	courir

INFINITIF

Présent
courir

PARTICIPE

Présent
courant

Passé
couru   courus
courue   courues

IMPÉRATIF

Présent
cours
courons
courez

SUBJONCTIF

Présent		**Passé**		
que je	coure	que j'	aie	couru
que tu	coures	que tu	aies	couru
qu'il/elle, on	coure	qu'il/elle, on	ait	couru
que nous	courions	que nous	ayons	couru
que vous	couriez	que vous	ayez	couru
qu'ils/elles	courent	qu'ils/elles	aient	couru

Croire

INDICATIF

TEMPS SIMPLES		TEMPS COMPOSÉS		
Présent		**Passé composé**		
je	crois	j'	ai	cru
tu	crois	tu	as	cru
il / elle, on	croit	il / elle, on	a	cru
nous	croyons	nous	avons	cru
vous	croyez	vous	avez	cru
ils / elles	croient	ils / elles	ont	cru
Imparfait		**Plus-que-parfait**		
je	croyais	j'	avais	cru
tu	croyais	tu	avais	cru
il / elle, on	croyait	il / elle, on	avait	cru
nous	croyions	nous	avions	cru
vous	croyiez	vous	aviez	cru
ils / elles	croyaient	ils / elles	avaient	cru
Passé simple		**Passé antérieur**		
je	crus	j'	eus	cru
tu	crus	tu	eus	cru
il / elle, on	crut	il / elle, on	eut	cru
nous	crûmes	nous	eûmes	cru
vous	crûtes	vous	eûtes	cru
ils / elles	crurent	ils / elles	eurent	cru
Conditionnel présent		**Conditionnel passé**		
je	croirais	j'	aurais	cru
tu	croirais	tu	aurais	cru
il / elle, on	croirait	il / elle, on	aurait	cru
nous	croirions	nous	aurions	cru
vous	croiriez	vous	auriez	cru
ils / elles	croiraient	ils / elles	auraient	cru

Futur simple		**Futur antérieur**			**Futur proche**		
je	croirai	j'	aurai	cru	je	vais	croire
tu	croiras	tu	auras	cru	tu	vas	croire
il / elle, on	croira	il / elle, on	aura	cru	il / elle, on	va	croire
nous	croirons	nous	aurons	cru	nous	allons	croire
vous	croirez	vous	aurez	cru	vous	allez	croire
ils / elles	croiront	ils / elles	auront	cru	ils / elles	vont	croire

INFINITIF

Présent

croire

PARTICIPE

Présent

croyant

Passé

cru	crus
crue	crues

IMPÉRATIF

Présent

crois

croyons

croyez

SUBJONCTIF

Présent		**Passé**		
que je	croie	que j'	aie	cru
que tu	croies	que tu	aies	cru
qu'il / elle, on	croie	qu'il / elle, on	ait	cru
que nous	croyions	que nous	ayons	cru
que vous	croyiez	que vous	ayez	cru
qu'ils / elles	croient	qu'ils / elles	aient	cru

INDICATIF

TEMPS SIMPLES		TEMPS COMPOSÉS		
Présent		**Passé composé**		
je	cueille	j'	ai	cueilli
tu	cueilles	tu	as	cueilli
il / elle, on	cueille	il / elle, on	a	cueilli
nous	cueillons	nous	avons	cueilli
vous	cueillez	vous	avez	cueilli
ils / elles	cueillent	ils / elles	ont	cueilli
Imparfait		**Plus-que-parfait**		
je	cueillais	j'	avais	cueilli
tu	cueillais	tu	avais	cueilli
il / elle, on	cueillait	il / elle, on	avait	cueilli
nous	cueillions	nous	avions	cueilli
vous	cueilliez	vous	aviez	cueilli
ils / elles	cueillaient	ils / elles	avaient	cueilli
Passé simple		**Passé antérieur**		
je	cueillis	j'	eus	cueilli
tu	cueillis	tu	eus	cueilli
il / elle, on	cueillit	il / elle, on	eut	cueilli
nous	cueillîmes	nous	eûmes	cueilli
vous	cueillîtes	vous	eûtes	cueilli
ils / elles	cueillirent	ils / elles	eurent	cueilli
Conditionnel présent		**Conditionnel passé**		
je	cueillerais	j'	aurais	cueilli
tu	cueillerais	tu	aurais	cueilli
il / elle, on	cueillerait	il / elle, on	aurait	cueilli
nous	cueillerions	nous	aurions	cueilli
vous	cueilleriez	vous	auriez	cueilli
ils / elles	cueilleraient	ils / elles	auraient	cueilli
Futur simple		**Futur antérieur**		
je	cueillerai	j'	aurai	cueilli
tu	cueilleras	tu	auras	cueilli
il / elle, on	cueillera	il / elle, on	aura	cueilli
nous	cueillerons	nous	aurons	cueilli
vous	cueillerez	vous	aurez	cueilli
ils / elles	cueilleront	ils / elles	auront	cueilli

SUBJONCTIF

Présent		**Passé**		
que je	cueille	que j'	aie	cueilli
que tu	cueilles	que tu	aies	cueilli
qu'il / elle, on	cueille	qu'il / elle, on	ait	cueilli
que nous	cueillions	que nous	ayons	cueilli
que vous	cueilliez	que vous	ayez	cueilli
qu'ils / elles	cueillent	qu'ils / elles	aient	cueilli

INFINITIF

Présent
cueillir

PARTICIPE

Présent
cueillant

Passé

cueilli	cueillis
cueillie	cueillies

IMPÉRATIF

Présent
cueille
cueillons
cueillez

Futur proche

je	vais	cueillir
tu	vas	cueillir
il / elle, on	va	cueillir
nous	allons	cueillir
vous	allez	cueillir
ils / elles	vont	cueillir

Cuire

Les verbes **conduire**, **construire** et **détruire** se conjuguent comme *cuire*.

INDICATIF

TEMPS SIMPLES		TEMPS COMPOSÉS		
Présent		**Passé composé**		
je	cui**s**	j'	ai	cuit
tu	cui**s**	tu	as	cuit
il / elle, on	cui**t**	il / elle, on	a	cuit
nous	cuis**ons**	nous	avons	cuit
vous	cuis**ez**	vous	avez	cuit
ils / elles	cuis**ent**	ils / elles	ont	cuit
Imparfait		**Plus-que-parfait**		
je	cuis**ais**	j'	avais	cuit
tu	cuis**ais**	tu	avais	cuit
il / elle, on	cuis**ait**	il / elle, on	avait	cuit
nous	cuis**ions**	nous	avions	cuit
vous	cuis**iez**	vous	aviez	cuit
ils / elles	cuis**aient**	ils / elles	avaient	cuit
Passé simple		**Passé antérieur**		
je	cuis**is**	j'	eus	cuit
tu	cuis**is**	tu	eus	cuit
il / elle, on	cuis**it**	il / elle, on	eut	cuit
nous	cuis**îmes**	nous	eûmes	cuit
vous	cuis**îtes**	vous	eûtes	cuit
ils / elles	cuis**irent**	ils / elles	eurent	cuit
Conditionnel présent		**Conditionnel passé**		
je	cui**rais**	j'	aurais	cuit
tu	cui**rais**	tu	aurais	cuit
il / elle, on	cui**rait**	il / elle, on	aurait	cuit
nous	cui**rions**	nous	aurions	cuit
vous	cui**riez**	vous	auriez	cuit
ils / elles	cui**raient**	ils / elles	auraient	cuit

Futur simple		**Futur antérieur**			**Futur proche**		
je	cui**rai**	j'	aurai	cuit	je	vais	cuire
tu	cui**ras**	tu	auras	cuit	tu	vas	cuire
il / elle, on	cui**ra**	il / elle, on	aura	cuit	il / elle, on	va	cuire
nous	cui**rons**	nous	aurons	cuit	nous	allons	cuire
vous	cui**rez**	vous	aurez	cuit	vous	allez	cuire
ils / elles	cui**ront**	ils / elles	auront	cuit	ils / elles	vont	cuire

SUBJONCTIF

Présent		**Passé**		
que je	cuis**e**	que j'	aie	cuit
que tu	cuis**es**	que tu	aies	cuit
qu'il / elle, on	cuis**e**	qu'il / elle, on	ait	cuit
que nous	cuis**ions**	que nous	ayons	cuit
que vous	cuis**iez**	que vous	ayez	cuit
qu'ils / elles	cuis**ent**	qu'ils / elles	aient	cuit

INFINITIF

Présent
cui**re**

PARTICIPE

Présent
cuis**ant**

Passé
cuit   cui**ts**
cui**te**   cui**tes**

IMPÉRATIF

Présent
cui**s**
cuis**ons**
cuis**ez**

INDICATIF

TEMPS SIMPLES		TEMPS COMPOSÉS		
Présent		**Passé composé**		
je	dois	j'	ai	dû
tu	dois	tu	as	dû
il / elle, on	doit	il / elle, on	a	dû
nous	devons	nous	avons	dû
vous	devez	vous	avez	dû
ils / elles	doivent	ils / elles	ont	dû
Imparfait		**Plus-que-parfait**		
je	devais	j'	avais	dû
tu	devais	tu	avais	dû
il / elle, on	devait	il / elle, on	avait	dû
nous	devions	nous	avions	dû
vous	deviez	vous	aviez	dû
ils / elles	devaient	ils / elles	avaient	dû
Passé simple		**Passé antérieur**		
je	dus	j'	eus	dû
tu	dus	tu	eus	dû
il / elle, on	dut	il / elle, on	eut	dû
nous	dûmes	nous	eûmes	dû
vous	dûtes	vous	eûtes	dû
ils / elles	durent	ils / elles	eurent	dû
Conditionnel présent		**Conditionnel passé**		
je	devrais	j'	aurais	dû
tu	devrais	tu	aurais	dû
il / elle, on	devrait	il / elle, on	aurait	dû
nous	devrions	nous	aurions	dû
vous	devriez	vous	auriez	dû
ils / elles	devraient	ils / elles	auraient	dû
Futur simple		**Futur antérieur**		
je	devrai	j'	aurai	dû
tu	devras	tu	auras	dû
il / elle, on	devra	il / elle, on	aura	dû
nous	devrons	nous	aurons	dû
vous	devrez	vous	aurez	dû
ils / elles	devront	ils / elles	auront	dû

SUBJONCTIF

Présent		**Passé**		
que je	doive	que j'	aie	dû
que tu	doives	que tu	aies	dû
qu'il / elle, on	doive	qu'il / elle, on	ait	dû
que nous	devions	que nous	ayons	dû
que vous	deviez	que vous	ayez	dû
qu'ils / elles	doivent	qu'ils / elles	aient	dû

INFINITIF

Présent
devoir

PARTICIPE

Présent
devant

Passé
| dû | dus |
| due | dues |

IMPÉRATIF

Présent
dois
devons
devez

Futur proche

je	vais	devoir
tu	vas	devoir
il / elle, on	va	devoir
nous	allons	devoir
vous	allez	devoir
ils / elles	vont	devoir

Dire 30

Le verbe **redire** se conjugue comme *dire*.

INDICATIF

TEMPS SIMPLES		TEMPS COMPOSÉS		
Présent		**Passé composé**		
je	dis	j'	ai	dit
tu	dis	tu	as	dit
il/elle, on	dit	il/elle, on	a	dit
nous	disons	nous	avons	dit
vous	dites	vous	avez	dit
ils/elles	disent	ils/elles	ont	dit
Imparfait		**Plus-que-parfait**		
je	disais	j'	avais	dit
tu	disais	tu	avais	dit
il/elle, on	disait	il/elle, on	avait	dit
nous	disions	nous	avions	dit
vous	disiez	vous	aviez	dit
ils/elles	disaient	ils/elles	avaient	dit
Passé simple		**Passé antérieur**		
je	dis	j'	eus	dit
tu	dis	tu	eus	dit
il/elle, on	dit	il/elle, on	eut	dit
nous	dîmes	nous	eûmes	dit
vous	dîtes	vous	eûtes	dit
ils/elles	dirent	ils/elles	eurent	dit
Conditionnel présent		**Conditionnel passé**		
je	dirais	j'	aurais	dit
tu	dirais	tu	aurais	dit
il/elle, on	dirait	il/elle, on	aurait	dit
nous	dirions	nous	aurions	dit
vous	diriez	vous	auriez	dit
ils/elles	diraient	ils/elles	auraient	dit

Futur simple		**Futur antérieur**			**Futur proche**		
je	dirai	j'	aurai	dit	je	vais	dire
tu	diras	tu	auras	dit	tu	vas	dire
il/elle, on	dira	il/elle, on	aura	dit	il/elle, on	va	dire
nous	dirons	nous	aurons	dit	nous	allons	dire
vous	direz	vous	aurez	dit	vous	allez	dire
ils/elles	diront	ils/elles	auront	dit	ils/elles	vont	dire

INFINITIF

Présent

dire

PARTICIPE

Présent

disant

Passé

dit	dits
dite	dites

IMPÉRATIF

Présent

dis
disons
dites

SUBJONCTIF

Présent		**Passé**		
que je	dise	que j'	aie	dit
que tu	dises	que tu	aies	dit
qu'il/elle, on	dise	qu'il/elle, on	ait	dit
que nous	disions	que nous	ayons	dit
que vous	disiez	que vous	ayez	dit
qu'ils/elles	disent	qu'ils/elles	aient	dit

Distraire

INDICATIF

TEMPS SIMPLES	TEMPS COMPOSÉS

Présent / Passé composé

	Présent			Passé composé	
je	distrais		j'	ai	distrait
tu	distrais		tu	as	distrait
il/elle, on	distrait		il/elle, on	a	distrait
nous	distrayons		nous	avons	distrait
vous	distrayez		vous	avez	distrait
ils/elles	distraient		ils/elles	ont	distrait

Imparfait / Plus-que-parfait

	Imparfait			Plus-que-parfait	
je	distrayais		j'	avais	distrait
tu	distrayais		tu	avais	distrait
il/elle, on	distrayait		il/elle, on	avait	distrait
nous	distrayions		nous	avions	distrait
vous	distrayiez		vous	aviez	distrait
ils/elles	distrayaient		ils/elles	avaient	distrait

Passé simple / Passé antérieur

	Passé simple			Passé antérieur	
	aucun		j'	eus	distrait
			tu	eus	distrait
			il/elle, on	eut	distrait
			nous	eûmes	distrait
			vous	eûtes	distrait
			ils/elles	eurent	distrait

Conditionnel présent / Conditionnel passé

	Conditionnel présent			Conditionnel passé	
je	distrairais		j'	aurais	distrait
tu	distrairais		tu	aurais	distrait
il/elle, on	distrairait		il/elle, on	aurait	distrait
nous	distrairions		nous	aurions	distrait
vous	distrairiez		vous	auriez	distrait
ils/elles	distrairaient		ils/elles	auraient	distrait

Futur simple / Futur antérieur

	Futur simple			Futur antérieur	
je	distrairai		j'	aurai	distrait
tu	distrairas		tu	auras	distrait
il/elle, on	distraira		il/elle, on	aura	distrait
nous	distrairons		nous	aurons	distrait
vous	distrairez		vous	aurez	distrait
ils/elles	distrairont		ils/elles	auront	distrait

SUBJONCTIF

Présent / Passé

	Présent			Passé	
que je	distraie		que j'	aie	distrait
que tu	distraies		que tu	aies	distrait
qu'il/elle, on	distraie		qu'il/elle, on	ait	distrait
que nous	distrayions		que nous	ayons	distrait
que vous	distrayiez		que vous	ayez	distrait
qu'ils/elles	distraient		qu'ils/elles	aient	distrait

INFINITIF

Présent
distraire

PARTICIPE

Présent
distrayant

Passé
distrait   distraits
distraite   distraites

IMPÉRATIF

Présent
distrais
distrayons
distrayez

Futur proche

je	vais	distraire
tu	vas	distraire
il/elle, on	va	distraire
nous	allons	distraire
vous	allez	distraire
ils/elles	vont	distraire

Dormir (32)

INDICATIF

TEMPS SIMPLES			TEMPS COMPOSÉS		
Présent			**Passé composé**		
je	dor**s**		j'	ai	dormi
tu	dor**s**		tu	as	dormi
il / elle, on	dor**t**		il / elle, on	a	dormi
nous	dorm**ons**		nous	avons	dormi
vous	dorm**ez**		vous	avez	dormi
ils / elles	dorm**ent**		ils / elles	ont	dormi
Imparfait			**Plus-que-parfait**		
je	dorm**ais**		j'	avais	dormi
tu	dorm**ais**		tu	avais	dormi
il / elle, on	dorm**ait**		il / elle, on	avait	dormi
nous	dorm**ions**		nous	avions	dormi
vous	dorm**iez**		vous	aviez	dormi
ils / elles	dorm**aient**		ils / elles	avaient	dormi
Passé simple			**Passé antérieur**		
je	dorm**is**		j'	eus	dormi
tu	dorm**is**		tu	eus	dormi
il / elle, on	dorm**it**		il / elle, on	eut	dormi
nous	dorm**îmes**		nous	eûmes	dormi
vous	dorm**îtes**		vous	eûtes	dormi
ils / elles	dorm**irent**		ils / elles	eurent	dormi
Conditionnel présent			**Conditionnel passé**		
je	dormi**rais**		j'	aurais	dormi
tu	dormi**rais**		tu	aurais	dormi
il / elle, on	dormi**rait**		il / elle, on	aurait	dormi
nous	dormi**rions**		nous	aurions	dormi
vous	dormi**riez**		vous	auriez	dormi
ils / elles	dormi**raient**		ils / elles	auraient	dormi
Futur simple			**Futur antérieur**		
je	dormi**rai**		j'	aurai	dormi
tu	dormi**ras**		tu	auras	dormi
il / elle, on	dormi**ra**		il / elle, on	aura	dormi
nous	dormi**rons**		nous	aurons	dormi
vous	dormi**rez**		vous	aurez	dormi
ils / elles	dormi**ront**		ils / elles	auront	dormi

SUBJONCTIF

Présent			**Passé**		
que je	dorm**e**		que j'	aie	dormi
que tu	dorm**es**		que tu	aies	dormi
qu'il / elle, on	dorm**e**		qu'il / elle, on	ait	dormi
que nous	dorm**ions**		que nous	ayons	dormi
que vous	dorm**iez**		que vous	ayez	dormi
qu'ils / elles	dorm**ent**		qu'ils / elles	aient	dormi

INFINITIF

Présent
dorm**ir**

PARTICIPE

Présent
dorm**ant**

Passé
dorm**i**

IMPÉRATIF

Présent
dor**s**
dorm**ons**
dorm**ez**

Futur proche

je	vais	dormir
tu	vas	dormir
il / elle, on	va	dormir
nous	allons	dormir
vous	allez	dormir
ils / elles	vont	dormir

Le participe passé *dormi* est invariable.

Écrire

INDICATIF

TEMPS SIMPLES		TEMPS COMPOSÉS		
Présent		**Passé composé**		
j'	écri**s**	j'	ai	écrit
tu	écri**s**	tu	as	écrit
il / elle, on	écri**t**	il / elle, on	a	écrit
nous	écri**vons**	nous	avons	écrit
vous	écri**vez**	vous	avez	écrit
ils / elles	écri**vent**	ils / elles	ont	écrit
Imparfait		**Plus-que-parfait**		
j'	écri**vais**	j'	avais	écrit
tu	écri**vais**	tu	avais	écrit
il / elle, on	écri**vait**	il / elle, on	avait	écrit
nous	écri**vions**	nous	avions	écrit
vous	écri**viez**	vous	aviez	écrit
ils / elles	écri**vaient**	ils / elles	avaient	écrit
Passé simple		**Passé antérieur**		
j'	écri**vis**	j'	eus	écrit
tu	écri**vis**	tu	eus	écrit
il / elle, on	écri**vit**	il / elle, on	eut	écrit
nous	écri**vîmes**	nous	eûmes	écrit
vous	écri**vîtes**	vous	eûtes	écrit
ils / elles	écri**virent**	ils / elles	eurent	écrit
Conditionnel présent		**Conditionnel passé**		
j'	écri**rais**	j'	aurais	écrit
tu	écri**rais**	tu	aurais	écrit
il / elle, on	écri**rait**	il / elle, on	aurait	écrit
nous	écri**rions**	nous	aurions	écrit
vous	écri**riez**	vous	auriez	écrit
ils / elles	écri**raient**	ils / elles	auraient	écrit
Futur simple		**Futur antérieur**		
j'	écri**rai**	j'	aurai	écrit
tu	écri**ras**	tu	auras	écrit
il / elle, on	écri**ra**	il / elle, on	aura	écrit
nous	écri**rons**	nous	aurons	écrit
vous	écri**rez**	vous	aurez	écrit
ils / elles	écri**ront**	ils / elles	auront	écrit

SUBJONCTIF

Présent		**Passé**		
que j'	écri**ve**	que j'	aie	écrit
que tu	écri**ves**	que tu	aies	écrit
qu'il / elle, on	écri**ve**	qu'il / elle, on	ait	écrit
que nous	écri**vions**	que nous	ayons	écrit
que vous	écri**viez**	que vous	ayez	écrit
qu'ils / elles	écri**vent**	qu'ils / elles	aient	écrit

INFINITIF

Présent
écri**re**

PARTICIPE

Présent
écri**vant**

Passé

écrit	écri**ts**
écri**te**	écri**tes**

IMPÉRATIF

Présent
écri**s**
écri**vons**
écri**vez**

Futur proche

je	vais	écrire
tu	vas	écrire
il / elle, on	va	écrire
nous	allons	écrire
vous	allez	écrire
ils / elles	vont	écrire

Faire

INDICATIF					
TEMPS SIMPLES			**TEMPS COMPOSÉS**		
Présent			**Passé composé**		
je	fai**s**		j'	ai	fait
tu	fai**s**		tu	as	fait
il/elle, on	fai**t**		il/elle, on	a	fait
nous	fais**ons**		nous	avons	fait
vous	fai**tes**		vous	avez	fait
ils/elles	f**ont**		ils/elles	ont	fait
Imparfait			**Plus-que-parfait**		
je	fais**ais**		j'	avais	fait
tu	fais**ais**		tu	avais	fait
il/elle, on	fais**ait**		il/elle, on	avait	fait
nous	fais**ions**		nous	avions	fait
vous	fais**iez**		vous	aviez	fait
ils/elles	fais**aient**		ils/elles	avaient	fait
Passé simple			**Passé antérieur**		
je	f**is**		j'	eus	fait
tu	f**is**		tu	eus	fait
il/elle, on	f**it**		il/elle, on	eut	fait
nous	f**îmes**		nous	eûmes	fait
vous	f**îtes**		vous	eûtes	fait
ils/elles	f**irent**		ils/elles	eurent	fait
Conditionnel présent			**Conditionnel passé**		
je	fe**rais**		j'	aurais	fait
tu	fe**rais**		tu	aurais	fait
il/elle, on	fe**rait**		il/elle, on	aurait	fait
nous	fe**rions**		nous	aurions	fait
vous	fe**riez**		vous	auriez	fait
ils/elles	fe**raient**		ils/elles	auraient	fait
Futur simple			**Futur antérieur**		
je	fe**rai**		j'	aurai	fait
tu	fe**ras**		tu	auras	fait
il/elle, on	fe**ra**		il/elle, on	aura	fait
nous	fe**rons**		nous	aurons	fait
vous	fe**rez**		vous	aurez	fait
ils/elles	fe**ront**		ils/elles	auront	fait

SUBJONCTIF					
Présent			**Passé**		
que je	fass**e**		que j'	aie	fait
que tu	fass**es**		que tu	aies	fait
qu'il/elle, on	fass**e**		qu'il/elle, on	ait	fait
que nous	fass**ions**		que nous	ayons	fait
que vous	fass**iez**		que vous	ayez	fait
qu'ils/elles	fass**ent**		qu'ils/elles	aient	fait

Quelques verbes se conjuguent comme *faire* : **défaire, refaire, satisfaire...**

INFINITIF
Présent
fai**re**

PARTICIPE
Présent
fais**ant**
Passé
fai**t**   fai**ts**
fai**te**   fai**tes**

IMPÉRATIF
Présent
fai**s**
fais**ons**
fai**tes**

Futur proche		
je	vais	faire
tu	vas	faire
il/elle, on	va	faire
nous	allons	faire
vous	allez	faire
ils/elles	vont	faire

Attention à la prononciation à certains modes et temps.

Ex. : *nous faisons* ➤ [fəzɔ̃]
je faisais ➤ [fəzɛ]
faisant ➤ [fəzɑ̃]

Falloir

Le verbe *falloir* se conjugue seulement à la 3e personne du singulier, avec le pronom *il*.

INDICATIF		
Temps simples	**Temps composés**	
Présent	**Passé composé**	
il fau**t**	il a fallu	
Imparfait	**Plus-que-parfait**	
il fall**ait**	il avait fallu	
Passé simple	**Passé antérieur**	
il fall**ut**	il eut fallu	
Conditionnel présent	**Conditionnel passé**	
il faud**rait**	il aurait fallu	
Futur simple	**Futur antérieur**	**Futur proche**
il faud**ra**	il aura fallu	il va falloir

SUBJONCTIF	
Présent	**Passé**
qu'il fail**le**	qu'il ait fallu

INFINITIF
Présent
fall**oir**

PARTICIPE
Présent
aucun
Passé
fall**u**

IMPÉRATIF
Présent
aucun

Le participe passé *fallu* est invariable.

Fuir 36

INDICATIF

TEMPS SIMPLES		TEMPS COMPOSÉS		
Présent		**Passé composé**		
je	fui**s**	j'	ai	fui
tu	fui**s**	tu	as	fui
il / elle, on	fui**t**	il / elle, on	a	fui
nous	fuy**ons**	nous	avons	fui
vous	fuy**ez**	vous	avez	fui
ils / elles	fui**ent**	ils / elles	ont	fui
Imparfait		**Plus-que-parfait**		
je	fuy**ais**	j'	avais	fui
tu	fuy**ais**	tu	avais	fui
il / elle, on	fuy**ait**	il / elle, on	avait	fui
nous	fuy**ions**	nous	avions	fui
vous	fuy**iez**	vous	aviez	fui
ils / elles	fuy**aient**	ils / elles	avaient	fui
Passé simple		**Passé antérieur**		
je	fui**s**	j'	eus	fui
tu	fui**s**	tu	eus	fui
il / elle, on	fui**t**	il / elle, on	eut	fui
nous	fuî**mes**	nous	eûmes	fui
vous	fuî**tes**	vous	eûtes	fui
ils / elles	fui**rent**	ils / elles	eurent	fui
Conditionnel présent		**Conditionnel passé**		
je	fui**rais**	j'	aurais	fui
tu	fui**rais**	tu	aurais	fui
il / elle, on	fui**rait**	il / elle, on	aurait	fui
nous	fui**rions**	nous	aurions	fui
vous	fui**riez**	vous	auriez	fui
ils / elles	fui**raient**	ils / elles	auraient	fui

Futur simple		**Futur antérieur**			**Futur proche**		
je	fui**rai**	j'	aurai	fui	je	vais	fuir
tu	fui**ras**	tu	auras	fui	tu	vas	fuir
il / elle, on	fui**ra**	il / elle, on	aura	fui	il / elle, on	va	fuir
nous	fui**rons**	nous	aurons	fui	nous	allons	fuir
vous	fui**rez**	vous	aurez	fui	vous	allez	fuir
ils / elles	fui**ront**	ils / elles	auront	fui	ils / elles	vont	fuir

INFINITIF

Présent
fu**ir**

PARTICIPE

Présent
fuy**ant**

Passé
fu**i** fu**is**
fu**ie** fu**ies**

IMPÉRATIF

Présent
fui**s**
fuy**ons**
fuy**ez**

SUBJONCTIF

Présent		**Passé**		
que je	fui**e**	que j'	aie	fui
que tu	fui**es**	que tu	aies	fui
qu'il / elle, on	fui**e**	qu'il / elle, on	ait	fui
que nous	fuy**ions**	que nous	ayons	fui
que vous	fuy**iez**	que vous	ayez	fui
qu'ils / elles	fui**ent**	qu'ils / elles	aient	fui

Joindre

INDICATIF

TEMPS SIMPLES		TEMPS COMPOSÉS		
Présent		**Passé composé**		
je	joins	j'	ai	joint
tu	joins	tu	as	joint
il / elle, on	joint	il / elle, on	a	joint
nous	joignons	nous	avons	joint
vous	joignez	vous	avez	joint
ils / elles	joignent	ils / elles	ont	joint
Imparfait		**Plus-que-parfait**		
je	joignais	j'	avais	joint
tu	joignais	tu	avais	joint
il / elle, on	joignait	il / elle, on	avait	joint
nous	joignions	nous	avions	joint
vous	joigniez	vous	aviez	joint
ils / elles	joignaient	ils / elles	avaient	joint
Passé simple		**Passé antérieur**		
je	joignis	j'	eus	joint
tu	joignis	tu	eus	joint
il / elle, on	joignit	il / elle, on	eut	joint
nous	joignîmes	nous	eûmes	joint
vous	joignîtes	vous	eûtes	joint
ils / elles	joignirent	ils / elles	eurent	joint
Conditionnel présent		**Conditionnel passé**		
je	joindrais	j'	aurais	joint
tu	joindrais	tu	aurais	joint
il / elle, on	joindrait	il / elle, on	aurait	joint
nous	joindrions	nous	aurions	joint
vous	joindriez	vous	auriez	joint
ils / elles	joindraient	ils / elles	auraient	joint

INFINITIF

Présent
joindre

PARTICIPE

Présent
joignant

Passé

joint	joints
jointe	jointes

IMPÉRATIF

Présent
joins
joignons
joignez

Futur simple		**Futur antérieur**			**Futur proche**		
je	joindrai	j'	aurai	joint	je	vais	joindre
tu	joindras	tu	auras	joint	tu	vas	joindre
il / elle, on	joindra	il / elle, on	aura	joint	il / elle, on	va	joindre
nous	joindrons	nous	aurons	joint	nous	allons	joindre
vous	joindrez	vous	aurez	joint	vous	allez	joindre
ils / elles	joindront	ils / elles	auront	joint	ils / elles	vont	joindre

SUBJONCTIF

Présent		**Passé**		
que je	joigne	que j'	aie	joint
que tu	joignes	que tu	aies	joint
qu'il / elle, on	joigne	qu'il / elle, on	ait	joint
que nous	joignions	que nous	ayons	joint
que vous	joigniez	que vous	ayez	joint
qu'ils / elles	joignent	qu'ils / elles	aient	joint

Lire

INDICATIF

TEMPS SIMPLES		TEMPS COMPOSÉS		
Présent		**Passé composé**		
je	lis	j'	ai	lu
tu	lis	tu	as	lu
il / elle, on	lit	il / elle, on	a	lu
nous	lisons	nous	avons	lu
vous	lisez	vous	avez	lu
ils / elles	lisent	ils / elles	ont	lu
Imparfait		**Plus-que-parfait**		
je	lisais	j'	avais	lu
tu	lisais	tu	avais	lu
il / elle, on	lisait	il / elle, on	avait	lu
nous	lisions	nous	avions	lu
vous	lisiez	vous	aviez	lu
ils / elles	lisaient	ils / elles	avaient	lu
Passé simple		**Passé antérieur**		
je	lus	j'	eus	lu
tu	lus	tu	eus	lu
il / elle, on	lut	il / elle, on	eut	lu
nous	lûmes	nous	eûmes	lu
vous	lûtes	vous	eûtes	lu
ils / elles	lurent	ils / elles	eurent	lu
Conditionnel présent		**Conditionnel passé**		
je	lirais	j'	aurais	lu
tu	lirais	tu	aurais	lu
il / elle, on	lirait	il / elle, on	aurait	lu
nous	lirions	nous	aurions	lu
vous	liriez	vous	auriez	lu
ils / elles	liraient	ils / elles	auraient	lu
Futur simple		**Futur antérieur**		
je	lirai	j'	aurai	lu
tu	liras	tu	auras	lu
il / elle, on	lira	il / elle, on	aura	lu
nous	lirons	nous	aurons	lu
vous	lirez	vous	aurez	lu
ils / elles	liront	ils / elles	auront	lu

SUBJONCTIF

Présent		**Passé**		
que je	lise	que j'	aie	lu
que tu	lises	que tu	aies	lu
qu'il / elle, on	lise	qu'il / elle, on	ait	lu
que nous	lisions	que nous	ayons	lu
que vous	lisiez	que vous	ayez	lu
qu'ils / elles	lisent	qu'ils / elles	aient	lu

38

Le verbe **relire** se conjugue comme *lire*.

INFINITIF

Présent
lire

PARTICIPE

Présent
lisant

Passé

lu	lus
lue	lues

IMPÉRATIF

Présent
lis
lisons
lisez

Futur proche

je	vais	lire
tu	vas	lire
il / elle, on	va	lire
nous	allons	lire
vous	allez	lire
ils / elles	vont	lire

INDICATIF

TEMPS SIMPLES	TEMPS COMPOSÉS

Présent

		Passé composé		
je	mens	j'	ai	menti
tu	mens	tu	as	menti
il/elle, on	ment	il/elle, on	a	menti
nous	mentons	nous	avons	menti
vous	mentez	vous	avez	menti
ils/elles	mentent	ils/elles	ont	menti

Imparfait / Plus-que-parfait

je	mentais	j'	avais	menti
tu	mentais	tu	avais	menti
il/elle, on	mentait	il/elle, on	avait	menti
nous	mentions	nous	avions	menti
vous	mentiez	vous	aviez	menti
ils/elles	mentaient	ils/elles	avaient	menti

Passé simple / Passé antérieur

je	mentis	j'	eus	menti
tu	mentis	tu	eus	menti
il/elle, on	mentit	il/elle, on	eut	menti
nous	mentîmes	nous	eûmes	menti
vous	mentîtes	vous	eûtes	menti
ils/elles	mentirent	ils/elles	eurent	menti

Conditionnel présent / Conditionnel passé

je	mentirais	j'	aurais	menti
tu	mentirais	tu	aurais	menti
il/elle, on	mentirait	il/elle, on	aurait	menti
nous	mentirions	nous	aurions	menti
vous	mentiriez	vous	auriez	menti
ils/elles	mentiraient	ils/elles	auraient	menti

Futur simple / Futur antérieur / Futur proche

je	mentirai	j'	aurai	menti	je	vais	mentir
tu	mentiras	tu	auras	menti	tu	vas	mentir
il/elle, on	mentira	il/elle, on	aura	menti	il/elle, on	va	mentir
nous	mentirons	nous	aurons	menti	nous	allons	mentir
vous	mentirez	vous	aurez	menti	vous	allez	mentir
ils/elles	mentiront	ils/elles	auront	menti	ils/elles	vont	mentir

SUBJONCTIF

Présent / Passé

que je	mente	que j'	aie	menti
que tu	mentes	que tu	aies	menti
qu'il/elle, on	mente	qu'il/elle, on	ait	menti
que nous	mentions	que nous	ayons	menti
que vous	mentiez	que vous	ayez	menti
qu'ils/elles	mentent	qu'ils/elles	aient	menti

Mentir

Plusieurs verbes se conjuguent comme *mentir*: **partir, repartir, sentir, sortir...**

INFINITIF

Présent
mentir

PARTICIPE

Présent
mentant

Passé
menti

IMPÉRATIF

Présent
mens
mentons
mentez

Le participe passé du verbe *mentir* est invariable. Par contre, les participes passés des autres verbes sont variables.

Ex.: *parti   partis*
      partie   parties

INDICATIF		

Mettre 40

Les verbes **permettre** et **remettre** se conjuguent comme *mettre*.

INDICATIF

TEMPS SIMPLES		TEMPS COMPOSÉS		
Présent		**Passé composé**		
je	mets	j'	ai	mis
tu	mets	tu	as	mis
il / elle, on	met	il / elle, on	a	mis
nous	mettons	nous	avons	mis
vous	mettez	vous	avez	mis
ils / elles	mettent	ils / elles	ont	mis
Imparfait		**Plus-que-parfait**		
je	mettais	j'	avais	mis
tu	mettais	tu	avais	mis
il / elle, on	mettait	il / elle, on	avait	mis
nous	mettions	nous	avions	mis
vous	mettiez	vous	aviez	mis
ils / elles	mettaient	ils / elles	avaient	mis
Passé simple		**Passé antérieur**		
je	mis	j'	eus	mis
tu	mis	tu	eus	mis
il / elle, on	mit	il / elle, on	eut	mis
nous	mîmes	nous	eûmes	mis
vous	mîtes	vous	eûtes	mis
ils / elles	mirent	ils / elles	eurent	mis
Conditionnel présent		**Conditionnel passé**		
je	mettrais	j'	aurais	mis
tu	mettrais	tu	aurais	mis
il / elle, on	mettrait	il / elle, on	aurait	mis
nous	mettrions	nous	aurions	mis
vous	mettriez	vous	auriez	mis
ils / elles	mettraient	ils / elles	auraient	mis
Futur simple		**Futur antérieur**		
je	mettrai	j'	aurai	mis
tu	mettras	tu	auras	mis
il / elle, on	mettra	il / elle, on	aura	mis
nous	mettrons	nous	aurons	mis
vous	mettrez	vous	aurez	mis
ils / elles	mettront	ils / elles	auront	mis

INFINITIF

Présent

mettre

PARTICIPE

Présent

mettant

Passé

mis	mis
mise	mises

IMPÉRATIF

Présent

mets
mettons
mettez

Futur proche

je	vais	mettre
tu	vas	mettre
il / elle, on	va	mettre
nous	allons	mettre
vous	allez	mettre
ils / elles	vont	mettre

SUBJONCTIF

Présent		**Passé**		
que je	mette	que j'	aie	mis
que tu	mettes	que tu	aies	mis
qu'il / elle, on	mette	qu'il / elle, on	ait	mis
que nous	mettions	que nous	ayons	mis
que vous	mettiez	que vous	ayez	mis
qu'ils / elles	mettent	qu'ils / elles	aient	mis

Mourir 41

INDICATIF	
Temps simples	**Temps composés**

Présent		**Passé composé**		
je	meurs	je	suis	mort/morte
tu	meurs	tu	es	mort/morte
il/elle, on	meurt	il/elle, on	est	mort/morte
nous	mourons	nous	sommes	morts/mortes
vous	mourez	vous	êtes	morts/mortes
ils/elles	meurent	ils/elles	sont	morts/mortes

Imparfait		**Plus-que-parfait**		
je	mourais	j'	étais	mort/morte
tu	mourais	tu	étais	mort/morte
il/elle, on	mourait	il/elle, on	était	mort/morte
nous	mourions	nous	étions	morts/mortes
vous	mouriez	vous	étiez	morts/mortes
ils/elles	mouraient	ils/elles	étaient	morts/mortes

INFINITIF
Présent
mourir

Passé simple		**Passé antérieur**		
je	mourus	je	fus	mort/morte
tu	mourus	tu	fus	mort/morte
il/elle, on	mourut	il/elle, on	fut	mort/morte
nous	mourûmes	nous	fûmes	morts/mortes
vous	mourûtes	vous	fûtes	morts/mortes
ils/elles	moururent	ils/elles	furent	morts/mortes

PARTICIPE
Présent
mourant

Passé	
mort	morts
morte	mortes

Conditionnel présent		**Conditionnel passé**		
je	mourrais	je	serais	mort/morte
tu	mourrais	tu	serais	mort/morte
il/elle, on	mourrait	il/elle, on	serait	mort/morte
nous	mourrions	nous	serions	morts/mortes
vous	mourriez	vous	seriez	morts/mortes
ils/elles	mourraient	ils/elles	seraient	morts/mortes

IMPÉRATIF
Présent
meurs
mourons
mourez

Futur simple		**Futur antérieur**			**Futur proche**		
je	mourrai	je	serai	mort/morte	je	vais	mourir
tu	mourras	tu	seras	mort/morte	tu	vas	mourir
il/elle, on	mourra	il/elle, on	sera	mort/morte	il/elle, on	va	mourir
nous	mourrons	nous	serons	morts/mortes	nous	allons	mourir
vous	mourrez	vous	serez	morts/mortes	vous	allez	mourir
ils/elles	mourront	ils/elles	seront	morts/mortes	ils/elles	vont	mourir

SUBJONCTIF	

Présent		**Passé**		
que je	meure	que je	sois	mort/morte
que tu	meures	que tu	sois	mort/morte
qu'il/elle, on	meure	qu'il/elle, on	soit	mort/morte
que nous	mourions	que nous	soyons	morts/mortes
que vous	mouriez	que vous	soyez	morts/mortes
qu'ils/elles	meurent	qu'ils/elles	soient	morts/mortes

Naître

42

INDICATIF

TEMPS SIMPLES		TEMPS COMPOSÉS		
Présent		**Passé composé**		
je	nais	je	suis	né / née
tu	nais	tu	es	né / née
il / elle, on	naît	il / elle, on	est	né / née
nous	naissons	nous	sommes	nés / nées
vous	naissez	vous	êtes	nés / nées
ils / elles	naissent	ils / elles	sont	nés / nées
Imparfait		**Plus-que-parfait**		
je	naissais	j'	étais	né / née
tu	naissais	tu	étais	né / née
il / elle, on	naissait	il / elle, on	était	né / née
nous	naissions	nous	étions	nés / nées
vous	naissiez	vous	étiez	nés / nées
ils / elles	naissaient	ils / elles	étaient	nés / nées
Passé simple		**Passé antérieur**		
je	naquis	je	fus	né / née
tu	naquis	tu	fus	né / née
il / elle, on	naquit	il / elle, on	fut	né / née
nous	naquîmes	nous	fûmes	nés / nées
vous	naquîtes	vous	fûtes	nés / nées
ils / elles	naquirent	ils / elles	furent	nés / nées
Conditionnel présent		**Conditionnel passé**		
je	naîtrais	je	serais	né / née
tu	naîtrais	tu	serais	né / née
il / elle, on	naîtrait	il / elle, on	serait	né / née
nous	naîtrions	nous	serions	nés / nées
vous	naîtriez	vous	seriez	nés / nées
ils / elles	naîtraient	ils / elles	seraient	nés / nées

Futur simple		**Futur antérieur**			**Futur proche**		
je	naîtrai	je	serai	né / née	je	vais	naître
tu	naîtras	tu	seras	né / née	tu	vas	naître
il / elle, on	naîtra	il / elle, on	sera	né / née	il / elle, on	va	naître
nous	naîtrons	nous	serons	nés / nées	nous	allons	naître
vous	naîtrez	vous	serez	nés / nées	vous	allez	naître
ils / elles	naîtront	ils / elles	seront	nés / nées	ils / elles	vont	naître

SUBJONCTIF

Présent		**Passé**		
que je	naisse	que je	sois	né / née
que tu	naisses	que tu	sois	né / née
qu'il / elle, on	naisse	qu'il / elle, on	soit	né / née
que nous	naissions	que nous	soyons	nés / nées
que vous	naissiez	que vous	soyez	nés / nées
qu'ils / elles	naissent	qu'ils / elles	soient	nés / nées

INFINITIF

Présent
naître

PARTICIPE

Présent
naissant

Passé

né	nés
née	nées

IMPÉRATIF

Présent
nais
naissons
naissez

Les verbes **découvrir** et **offrir** se conjuguent comme *ouvrir*.

INDICATIF

TEMPS SIMPLES		TEMPS COMPOSÉS		
Présent		**Passé composé**		
j'	ouvre	j'	ai	ouvert
tu	ouvres	tu	as	ouvert
il/elle, on	ouvre	il/elle, on	a	ouvert
nous	ouvrons	nous	avons	ouvert
vous	ouvrez	vous	avez	ouvert
ils/elles	ouvrent	ils/elles	ont	ouvert
Imparfait		**Plus-que-parfait**		
j'	ouvrais	j'	avais	ouvert
tu	ouvrais	tu	avais	ouvert
il/elle, on	ouvrait	il/elle, on	avait	ouvert
nous	ouvrions	nous	avions	ouvert
vous	ouvriez	vous	aviez	ouvert
ils/elles	ouvraient	ils/elles	avaient	ouvert
Passé simple		**Passé antérieur**		
j'	ouvris	j'	eus	ouvert
tu	ouvris	tu	eus	ouvert
il/elle, on	ouvrit	il/elle, on	eut	ouvert
nous	ouvrîmes	nous	eûmes	ouvert
vous	ouvrîtes	vous	eûtes	ouvert
ils/elles	ouvrirent	ils/elles	eurent	ouvert
Conditionnel présent		**Conditionnel passé**		
j'	ouvrirais	j'	aurais	ouvert
tu	ouvrirais	tu	aurais	ouvert
il/elle, on	ouvrirait	il/elle, on	aurait	ouvert
nous	ouvririons	nous	aurions	ouvert
vous	ouvririez	vous	auriez	ouvert
ils/elles	ouvriraient	ils/elles	auraient	ouvert
Futur simple		**Futur antérieur**		
j'	ouvrirai	j'	aurai	ouvert
tu	ouvriras	tu	auras	ouvert
il/elle, on	ouvrira	il/elle, on	aura	ouvert
nous	ouvrirons	nous	aurons	ouvert
vous	ouvrirez	vous	aurez	ouvert
ils/elles	ouvriront	ils/elles	auront	ouvert

INFINITIF

Présent
ouvrir

PARTICIPE

Présent
ouvrant

Passé

ouvert	ouverts
ouverte	ouvertes

IMPÉRATIF

Présent
ouvre
ouvrons
ouvrez

Futur proche

je	vais	ouvrir
tu	vas	ouvrir
il/elle, on	va	ouvrir
nous	allons	ouvrir
vous	allez	ouvrir
ils/elles	vont	ouvrir

SUBJONCTIF

Présent		**Passé**		
que j'	ouvre	que j'	aie	ouvert
que tu	ouvres	que tu	aies	ouvert
qu'il/elle, on	ouvre	qu'il/elle, on	ait	ouvert
que nous	ouvrions	que nous	ayons	ouvert
que vous	ouvriez	que vous	ayez	ouvert
qu'ils/elles	ouvrent	qu'ils/elles	aient	ouvert

Plaire

INDICATIF

TEMPS SIMPLES		TEMPS COMPOSÉS		
Présent		**Passé composé**		
je	plais	j'	ai	plu
tu	plais	tu	as	plu
il / elle, on	plaît	il / elle, on	a	plu
nous	plaisons	nous	avons	plu
vous	plaisez	vous	avez	plu
ils / elles	plaisent	ils / elles	ont	plu
Imparfait		**Plus-que-parfait**		
je	plaisais	j'	avais	plu
tu	plaisais	tu	avais	plu
il / elle, on	plaisait	il / elle, on	avait	plu
nous	plaisions	nous	avions	plu
vous	plaisiez	vous	aviez	plu
ils / elles	plaisaient	ils / elles	avaient	plu
Passé simple		**Passé antérieur**		
je	plus	j'	eus	plu
tu	plus	tu	eus	plu
il / elle, on	plut	il / elle, on	eut	plu
nous	plûmes	nous	eûmes	plu
vous	plûtes	vous	eûtes	plu
ils / elles	plurent	ils / elles	eurent	plu
Conditionnel présent		**Conditionnel passé**		
je	plairais	j'	aurais	plu
tu	plairais	tu	aurais	plu
il / elle, on	plairait	il / elle, on	aurait	plu
nous	plairions	nous	aurions	plu
vous	plairiez	vous	auriez	plu
ils / elles	plairaient	ils / elles	auraient	plu
Futur simple		**Futur antérieur**		
je	plairai	j'	aurai	plu
tu	plairas	tu	auras	plu
il / elle, on	plaira	il / elle, on	aura	plu
nous	plairons	nous	aurons	plu
vous	plairez	vous	aurez	plu
ils / elles	plairont	ils / elles	auront	plu

SUBJONCTIF

Présent		**Passé**		
que je	plaise	que j'	aie	plu
que tu	plaises	que tu	aies	plu
qu'il / elle, on	plaise	qu'il / elle, on	ait	plu
que nous	plaisions	que nous	ayons	plu
que vous	plaisiez	que vous	ayez	plu
qu'ils / elles	plaisent	qu'ils / elles	aient	plu

INFINITIF

Présent

plaire

PARTICIPE

Présent

plaisant

Passé

plu

IMPÉRATIF

Présent

plais
plaisons
plaisez

Futur proche

je	vais	plaire
tu	vas	plaire
il / elle, on	va	plaire
nous	allons	plaire
vous	allez	plaire
ils / elles	vont	plaire

Le participe passé *plu* est invariable.

Pleuvoir 45

Le verbe *pleuvoir* se conjugue seulement à la troisième personne du singulier, avec le pronom *il*.

INDICATIF

TEMPS SIMPLES		TEMPS COMPOSÉS		
Présent		**Passé composé**		
il	pleu**t**	il	a	plu
Imparfait		**Plus-que-parfait**		
il	pleuv**ait**	il	avait	plu
Passé simple		**Passé antérieur**		
il	pl**ut**	il	eut	plu
Conditionnel présent		**Conditionnel passé**		
il	pleuv**rait**	il	aurait	plu
Futur simple		**Futur antérieur**		
il	pleuv**ra**	il	aura	plu

SUBJONCTIF

Présent		**Passé**		
qu'il	pleuv**e**	qu'il	ait	plu

INFINITIF

Présent
pleuv**oir**

PARTICIPE

Présent
pleuv**ant**

Passé
pl**u**

IMPÉRATIF

Présent
aucun

Futur proche		
il	va	pleuvoir

Le participe passé *plu* est invariable.

Pouvoir

INDICATIF

TEMPS SIMPLES		TEMPS COMPOSÉS		
Présent		**Passé composé**		
je	peu**x** / pui**s**	j'	ai	pu
tu	peu**x**	tu	as	pu
il / elle, on	peu**t**	il / elle, on	a	pu
nous	pouv**ons**	nous	avons	pu
vous	pouv**ez**	vous	avez	pu
ils / elles	peuv**ent**	ils / elles	ont	pu
Imparfait		**Plus-que-parfait**		
je	pouv**ais**	j'	avais	pu
tu	pouv**ais**	tu	avais	pu
il / elle, on	pouv**ait**	il / elle, on	avait	pu
nous	pouv**ions**	nous	avions	pu
vous	pouv**iez**	vous	aviez	pu
ils / elles	pouv**aient**	ils / elles	avaient	pu
Passé simple		**Passé antérieur**		
je	p**us**	j'	eus	pu
tu	p**us**	tu	eus	pu
il / elle, on	p**ut**	il / elle, on	eut	pu
nous	p**ûmes**	nous	eûmes	pu
vous	p**ûtes**	vous	eûtes	pu
ils / elles	p**urent**	ils / elles	eurent	pu
Conditionnel présent		**Conditionnel passé**		
je	pour**rais**	j'	aurais	pu
tu	pour**rais**	tu	aurais	pu
il / elle, on	pour**rait**	il / elle, on	aurait	pu
nous	pour**rions**	nous	aurions	pu
vous	pour**riez**	vous	auriez	pu
ils / elles	pour**raient**	ils / elles	auraient	pu
Futur simple		**Futur antérieur**		
je	pour**rai**	j'	aurai	pu
tu	pour**ras**	tu	auras	pu
il / elle, on	pour**ra**	il / elle, on	aura	pu
nous	pour**rons**	nous	aurons	pu
vous	pour**rez**	vous	aurez	pu
ils / elles	pour**ront**	ils / elles	auront	pu

INFINITIF

Présent

pouv**oir**

PARTICIPE

Présent

pouv**ant**

Passé

p**u**

IMPÉRATIF

Présent

aucun

Futur proche

je	vais	pouvoir
tu	vas	pouvoir
il / elle, on	va	pouvoir
nous	allons	pouvoir
vous	allez	pouvoir
ils / elles	vont	pouvoir

SUBJONCTIF

Présent		**Passé**		
que je	puiss**e**	que j'	aie	pu
que tu	puiss**es**	que tu	aies	pu
qu'il / elle, on	puiss**e**	qu'il / elle, on	ait	pu
que nous	puiss**ions**	que nous	ayons	pu
que vous	puiss**iez**	que vous	ayez	pu
qu'ils / elles	puiss**ent**	qu'ils / elles	aient	pu

Le participe passé *pu* est invariable.

INDICATIF		
TEMPS SIMPLES	**TEMPS COMPOSÉS**	

Présent			**Passé composé**		
je	prend**s**	j'		ai	pris
tu	prend**s**	tu		as	pris
il / elle, on	prend	il / elle, on		a	pris
nous	pren**ons**	nous		avons	pris
vous	pren**ez**	vous		avez	pris
ils / elles	prenn**ent**	ils / elles		ont	pris

Prendre ㊼

Quelques verbes se conjuguent comme *prendre*: ***apprendre, comprendre, reprendre, surprendre…***

Imparfait			**Plus-que-parfait**		
je	pren**ais**	j'		avais	pris
tu	pren**ais**	tu		avais	pris
il / elle, on	pren**ait**	il / elle, on		avait	pris
nous	pren**ions**	nous		avions	pris
vous	pren**iez**	vous		aviez	pris
ils / elles	pren**aient**	ils / elles		avaient	pris

INFINITIF
Présent
prend**re**

Passé simple			**Passé antérieur**		
je	pr**is**	j'		eus	pris
tu	pr**is**	tu		eus	pris
il / elle, on	pr**it**	il / elle, on		eut	pris
nous	pr**îmes**	nous		eûmes	pris
vous	pr**îtes**	vous		eûtes	pris
ils / elles	pr**irent**	ils / elles		eurent	pris

PARTICIPE	
Présent	
pren**ant**	
Passé	
pris	pris
pri**se**	pri**ses**

Conditionnel présent			**Conditionnel passé**		
je	prend**rais**	j'		aurais	pris
tu	prend**rais**	tu		aurais	pris
il / elle, on	prend**rait**	il / elle, on		aurait	pris
nous	prend**rions**	nous		aurions	pris
vous	prend**riez**	vous		auriez	pris
ils / elles	prend**raient**	ils / elles		auraient	pris

IMPÉRATIF
Présent
prend**s**
pren**ons**
pren**ez**

Futur simple			**Futur antérieur**			**Futur proche**		
je	prend**rai**	j'		aurai	pris	je	vais	prendre
tu	prend**ras**	tu		auras	pris	tu	vas	prendre
il / elle, on	prend**ra**	il / elle, on		aura	pris	il / elle, on	va	prendre
nous	prend**rons**	nous		aurons	pris	nous	allons	prendre
vous	prend**rez**	vous		aurez	pris	vous	allez	prendre
ils / elles	prend**ront**	ils / elles		auront	pris	ils / elles	vont	prendre

SUBJONCTIF		

Présent			**Passé**		
que je	prenn**e**	que j'		aie	pris
que tu	prenn**es**	que tu		aies	pris
qu'il / elle, on	prenn**e**	qu'il / elle, on		ait	pris
que nous	pren**ions**	que nous		ayons	pris
que vous	pren**iez**	que vous		ayez	pris
qu'ils / elles	prenn**ent**	qu'ils / elles		aient	pris

Recevoir 48

INDICATIF

TEMPS SIMPLES		TEMPS COMPOSÉS		
Présent		**Passé composé**		
je	reçois	j'	ai	reçu
tu	reçois	tu	as	reçu
il / elle, on	reçoit	il / elle, on	a	reçu
nous	recevons	nous	avons	reçu
vous	recevez	vous	avez	reçu
ils / elles	reçoivent	ils / elles	ont	reçu
Imparfait		**Plus-que-parfait**		
je	recevais	j'	avais	reçu
tu	recevais	tu	avais	reçu
il / elle, on	recevait	il / elle, on	avait	reçu
nous	recevions	nous	avions	reçu
vous	receviez	vous	aviez	reçu
ils / elles	recevaient	ils / elles	avaient	reçu
Passé simple		**Passé antérieur**		
je	reçus	j'	eus	reçu
tu	reçus	tu	eus	reçu
il / elle, on	reçut	il / elle, on	eut	reçu
nous	reçûmes	nous	eûmes	reçu
vous	reçûtes	vous	eûtes	reçu
ils / elles	reçurent	ils / elles	eurent	reçu
Conditionnel présent		**Conditionnel passé**		
je	recevrais	j'	aurais	reçu
tu	recevrais	tu	aurais	reçu
il / elle, on	recevrait	il / elle, on	aurait	reçu
nous	recevrions	nous	aurions	reçu
vous	recevriez	vous	auriez	reçu
ils / elles	recevraient	ils / elles	auraient	reçu
Futur simple		**Futur antérieur**		
je	recevrai	j'	aurai	reçu
tu	recevras	tu	auras	reçu
il / elle, on	recevra	il / elle, on	aura	reçu
nous	recevrons	nous	aurons	reçu
vous	recevrez	vous	aurez	reçu
ils / elles	recevront	ils / elles	auront	reçu

SUBJONCTIF

Présent		**Passé**		
que je	reçoive	que j'	aie	reçu
que tu	reçoives	que tu	aies	reçu
qu'il / elle, on	reçoive	qu'il / elle, on	ait	reçu
que nous	recevions	que nous	ayons	reçu
que vous	receviez	que vous	ayez	reçu
qu'ils / elles	reçoivent	qu'ils / elles	aient	reçu

INFINITIF

Présent

recevoir

PARTICIPE

Présent

recevant

Passé

reçu	reçus
reçue	reçues

IMPÉRATIF

Présent

reçois
recevons
recevez

Futur proche

je	vais	recevoir
tu	vas	recevoir
il / elle, on	va	recevoir
nous	allons	recevoir
vous	allez	recevoir
ils / elles	vont	recevoir

Rendre 49

Beaucoup de verbes se conjuguent comme *rendre*: **attendre, descendre, entendre, perdre, répondre...**

INDICATIF

TEMPS SIMPLES		TEMPS COMPOSÉS		
Présent		**Passé composé**		
je	rend**s**	j'	ai	rendu
tu	rend**s**	tu	as	rendu
il / elle, on	rend	il / elle, on	a	rendu
nous	rend**ons**	nous	avons	rendu
vous	rend**ez**	vous	avez	rendu
ils / elles	rend**ent**	ils / elles	ont	rendu
Imparfait		**Plus-que-parfait**		
je	rend**ais**	j'	avais	rendu
tu	rend**ais**	tu	avais	rendu
il / elle, on	rend**ait**	il / elle, on	avait	rendu
nous	rend**ions**	nous	avions	rendu
vous	rend**iez**	vous	aviez	rendu
ils / elles	rend**aient**	ils / elles	avaient	rendu
Passé simple		**Passé antérieur**		
je	rend**is**	j'	eus	rendu
tu	rend**is**	tu	eus	rendu
il / elle, on	rend**it**	il / elle, on	eut	rendu
nous	rend**îmes**	nous	eûmes	rendu
vous	rend**îtes**	vous	eûtes	rendu
ils / elles	rend**irent**	ils / elles	eurent	rendu
Conditionnel présent		**Conditionnel passé**		
je	rend**rais**	j'	aurais	rendu
tu	rend**rais**	tu	aurais	rendu
il / elle, on	rend**rait**	il / elle, on	aurait	rendu
nous	rend**rions**	nous	aurions	rendu
vous	rend**riez**	vous	auriez	rendu
ils / elles	rend**raient**	ils / elles	auraient	rendu
Futur simple		**Futur antérieur**		
je	rend**rai**	j'	aurai	rendu
tu	rend**ras**	tu	auras	rendu
il / elle, on	rend**ra**	il / elle, on	aura	rendu
nous	rend**rons**	nous	aurons	rendu
vous	rend**rez**	vous	aurez	rendu
ils / elles	rend**ront**	ils / elles	auront	rendu

SUBJONCTIF

Présent		**Passé**		
que je	rend**e**	que j'	aie	rendu
que tu	rend**es**	que tu	aies	rendu
qu'il / elle, on	rend**e**	qu'il / elle, on	ait	rendu
que nous	rend**ions**	que nous	ayons	rendu
que vous	rend**iez**	que vous	ayez	rendu
qu'ils / elles	rend**ent**	qu'ils / elles	aient	rendu

INFINITIF

Présent
rend**re**

PARTICIPE

Présent
rend**ant**

Passé
rend**u**   rend**us**
rend**ue**   rend**ues**

IMPÉRATIF

Présent
rend**s**
rend**ons**
rend**ez**

Futur proche

je	vais	rendre
tu	vas	rendre
il / elle, on	va	rendre
nous	allons	rendre
vous	allez	rendre
ils / elles	vont	rendre

Rire 50

INDICATIF

TEMPS SIMPLES		TEMPS COMPOSÉS		
Présent		**Passé composé**		
je	ris	j'	ai	ri
tu	ris	tu	as	ri
il / elle, on	rit	il / elle, on	a	ri
nous	rions	nous	avons	ri
vous	riez	vous	avez	ri
ils / elles	rient	ils / elles	ont	ri
Imparfait		**Plus-que-parfait**		
je	riais	j'	avais	ri
tu	riais	tu	avais	ri
il / elle, on	riait	il / elle, on	avait	ri
nous	riions	nous	avions	ri
vous	riiez	vous	aviez	ri
ils / elles	riaient	ils / elles	avaient	ri
Passé simple		**Passé antérieur**		
je	ris	j'	eus	ri
tu	ris	tu	eus	ri
il / elle, on	rit	il / elle, on	eut	ri
nous	rîmes	nous	eûmes	ri
vous	rîtes	vous	eûtes	ri
ils / elles	rirent	ils / elles	eurent	ri
Conditionnel présent		**Conditionnel passé**		
je	rirais	j'	aurais	ri
tu	rirais	tu	aurais	ri
il / elle, on	rirait	il / elle, on	aurait	ri
nous	ririons	nous	aurions	ri
vous	ririez	vous	auriez	ri
ils / elles	riraient	ils / elles	auraient	ri
Futur simple		**Futur antérieur**		
je	rirai	j'	aurai	ri
tu	riras	tu	auras	ri
il / elle, on	rira	il / elle, on	aura	ri
nous	rirons	nous	aurons	ri
vous	rirez	vous	aurez	ri
ils / elles	riront	ils / elles	auront	ri

SUBJONCTIF

Présent		**Passé**		
que je	rie	que j'	aie	ri
que tu	ries	que tu	aies	ri
qu'il / elle, on	rie	qu'il / elle, on	ait	ri
que nous	riions	que nous	ayons	ri
que vous	riiez	que vous	ayez	ri
qu'ils / elles	rient	qu'ils / elles	aient	ri

INFINITIF

Présent
rire

PARTICIPE

Présent
riant

Passé
ri

IMPÉRATIF

Présent
ris
rions
riez

Futur proche

je	vais	rire
tu	vas	rire
il / elle, on	va	rire
nous	allons	rire
vous	allez	rire
ils / elles	vont	rire

Le participe passé *ri*
est invariable.

INDICATIF

TEMPS SIMPLES		TEMPS COMPOSÉS		
Présent		**Passé composé**		
je	sai**s**	j'	ai	su
tu	sai**s**	tu	as	su
il / elle, on	sai**t**	il / elle, on	a	su
nous	sav**ons**	nous	avons	su
vous	sav**ez**	vous	avez	su
ils / elles	sav**ent**	ils / elles	ont	su
Imparfait		**Plus-que-parfait**		
je	sav**ais**	j'	avais	su
tu	sav**ais**	tu	avais	su
il / elle, on	sav**ait**	il / elle, on	avait	su
nous	sav**ions**	nous	avions	su
vous	sav**iez**	vous	aviez	su
ils / elles	sav**aient**	ils / elles	avaient	su
Passé simple		**Passé antérieur**		
je	s**us**	j'	eus	su
tu	s**us**	tu	eus	su
il / elle, on	s**ut**	il / elle, on	eut	su
nous	s**ûmes**	nous	eûmes	su
vous	s**ûtes**	vous	eûtes	su
ils / elles	s**urent**	ils / elles	eurent	su
Conditionnel présent		**Conditionnel passé**		
je	sau**rais**	j'	aurais	su
tu	sau**rais**	tu	aurais	su
il / elle, on	sau**rait**	il / elle, on	aurait	su
nous	sau**rions**	nous	aurions	su
vous	sau**riez**	vous	auriez	su
ils / elles	sau**raient**	ils / elles	auraient	su
Futur simple		**Futur antérieur**		
je	sau**rai**	j'	aurai	su
tu	sau**ras**	tu	auras	su
il / elle, on	sau**ra**	il / elle, on	aura	su
nous	sau**rons**	nous	aurons	su
vous	sau**rez**	vous	aurez	su
ils / elles	sau**ront**	ils / elles	auront	su

INFINITIF

Présent

sav**oir**

PARTICIPE

Présent

sach**ant**

Passé

su	su**s**
su**e**	su**es**

IMPÉRATIF

Présent

sach**e**
sach**ons**
sach**ez**

Futur proche

je	vais	savoir
tu	vas	savoir
il / elle, on	va	savoir
nous	allons	savoir
vous	allez	savoir
ils / elles	vont	savoir

SUBJONCTIF

Présent		**Passé**		
que je	sach**e**	que j'	aie	su
que tu	sach**es**	que tu	aies	su
qu'il / elle, on	sach**e**	qu'il / elle, on	ait	su
que nous	sach**ions**	que nous	ayons	su
que vous	sach**iez**	que vous	ayez	su
qu'ils / elles	sach**ent**	qu'ils / elles	aient	su

Servir

INDICATIF

TEMPS SIMPLES		TEMPS COMPOSÉS		
Présent		**Passé composé**		
je	sers	j'	ai	servi
tu	sers	tu	as	servi
il / elle, on	sert	il / elle, on	a	servi
nous	servons	nous	avons	servi
vous	servez	vous	avez	servi
ils / elles	servent	ils / elles	ont	servi
Imparfait		**Plus-que-parfait**		
je	servais	j'	avais	servi
tu	servais	tu	avais	servi
il / elle, on	servait	il / elle, on	avait	servi
nous	servions	nous	avions	servi
vous	serviez	vous	aviez	servi
ils / elles	servaient	ils / elles	avaient	servi
Passé simple		**Passé antérieur**		
je	servis	j'	eus	servi
tu	servis	tu	eus	servi
il / elle, on	servit	il / elle, on	eut	servi
nous	servîmes	nous	eûmes	servi
vous	servîtes	vous	eûtes	servi
ils / elles	servirent	ils / elles	eurent	servi
Conditionnel présent		**Conditionnel passé**		
je	servirais	j'	aurais	servi
tu	servirais	tu	aurais	servi
il / elle, on	servirait	il / elle, on	aurait	servi
nous	servirions	nous	aurions	servi
vous	serviriez	vous	auriez	servi
ils / elles	serviraient	ils / elles	auraient	servi

INFINITIF

Présent
servir

PARTICIPE

Présent
servant

Passé
servi   servis
servie   servies

IMPÉRATIF

Présent
sers
servons
servez

Futur simple		**Futur antérieur**			**Futur proche**		
je	servirai	j'	aurai	servi	je	vais	servir
tu	serviras	tu	auras	servi	tu	vas	servir
il / elle, on	servira	il / elle, on	aura	servi	il / elle, on	va	servir
nous	servirons	nous	aurons	servi	nous	allons	servir
vous	servirez	vous	aurez	servi	vous	allez	servir
ils / elles	serviront	ils / elles	auront	servi	ils / elles	vont	servir

SUBJONCTIF

Présent		**Passé**		
que je	serve	que j'	aie	servi
que tu	serves	que tu	aies	servi
qu'il / elle, on	serve	qu'il / elle, on	ait	servi
que nous	servions	que nous	ayons	servi
que vous	serviez	que vous	ayez	servi
qu'ils / elles	servent	qu'ils / elles	aient	servi

Suivre 53

INDICATIF

TEMPS SIMPLES		TEMPS COMPOSÉS		
Présent		**Passé composé**		
je	suis	j'	ai	suivi
tu	suis	tu	as	suivi
il/elle, on	suit	il/elle, on	a	suivi
nous	suivons	nous	avons	suivi
vous	suivez	vous	avez	suivi
ils/elles	suivent	ils/elles	ont	suivi
Imparfait		**Plus-que-parfait**		
je	suivais	j'	avais	suivi
tu	suivais	tu	avais	suivi
il/elle, on	suivait	il/elle, on	avait	suivi
nous	suivions	nous	avions	suivi
vous	suiviez	vous	aviez	suivi
ils/elles	suivaient	ils/elles	avaient	suivi
Passé simple		**Passé antérieur**		
je	suivis	j'	eus	suivi
tu	suivis	tu	eus	suivi
il/elle, on	suivit	il/elle, on	eut	suivi
nous	survîmes	nous	eûmes	suivi
vous	survîtes	vous	eûtes	suivi
ils/elles	suivirent	ils/elles	eurent	suivi
Conditionnel présent		**Conditionnel passé**		
je	suivrais	j'	aurais	suivi
tu	suivrais	tu	aurais	suivi
il/elle, on	suivrait	il/elle, on	aurait	suivi
nous	suivrions	nous	aurions	suivi
vous	suivriez	vous	auriez	suivi
ils/elles	suivraient	ils/elles	auraient	suivi

Futur simple		**Futur antérieur**			**Futur proche**		
je	suivrai	j'	aurai	suivi	je	vais	suivre
tu	suivras	tu	auras	suivi	tu	vas	suivre
il/elle, on	suivra	il/elle, on	aura	suivi	il/elle, on	va	suivre
nous	suivrons	nous	aurons	suivi	nous	allons	suivre
vous	suivrez	vous	aurez	suivi	vous	allez	suivre
ils/elles	suivront	ils/elles	auront	suivi	ils/elles	vont	suivre

SUBJONCTIF

Présent		**Passé**		
que je	suive	que j'	aie	suivi
que tu	suives	que tu	aies	suivi
qu'il/elle, on	suive	qu'il/elle, on	ait	suivi
que nous	suivions	que nous	ayons	suivi
que vous	suiviez	que vous	ayez	suivi
qu'ils/elles	suivent	qu'ils/elles	aient	suivi

INFINITIF

Présent
suivre

PARTICIPE

Présent
suivant

Passé
suivi   suivis
suivie   suivies

IMPÉRATIF

Présent
suis
suivons
suivez

Tenir (54)

Le verbe **prévenir** se conjugue comme *tenir*.

INDICATIF

TEMPS SIMPLES		TEMPS COMPOSÉS		
Présent		**Passé composé**		
je	tien**s**	j'	ai	tenu
tu	tien**s**	tu	as	tenu
il / elle, on	tien**t**	il / elle, on	a	tenu
nous	ten**ons**	nous	avons	tenu
vous	ten**ez**	vous	avez	tenu
ils / elles	tienn**ent**	ils / elles	ont	tenu
Imparfait		**Plus-que-parfait**		
je	ten**ais**	j'	avais	tenu
tu	ten**ais**	tu	avais	tenu
il / elle, on	ten**ait**	il / elle, on	avait	tenu
nous	ten**ions**	nous	avions	tenu
vous	ten**iez**	vous	aviez	tenu
ils / elles	ten**aient**	ils / elles	avaient	tenu
Passé simple		**Passé antérieur**		
je	t**ins**	j'	eus	tenu
tu	t**ins**	tu	eus	tenu
il / elle, on	t**int**	il / elle, on	eut	tenu
nous	t**înmes**	nous	eûmes	tenu
vous	t**întes**	vous	eûtes	tenu
ils / elles	t**inrent**	ils / elles	eurent	tenu
Conditionnel présent		**Conditionnel passé**		
je	tiend**rais**	j'	aurais	tenu
tu	tiend**rais**	tu	aurais	tenu
il / elle, on	tiend**rait**	il / elle, on	aurait	tenu
nous	tiend**rions**	nous	aurions	tenu
vous	tiend**riez**	vous	auriez	tenu
ils / elles	tiend**raient**	ils / elles	auraient	tenu
Futur simple		**Futur antérieur**		
je	tiend**rai**	j'	aurai	tenu
tu	tiend**ras**	tu	auras	tenu
il / elle, on	tiend**ra**	il / elle, on	aura	tenu
nous	tiend**rons**	nous	aurons	tenu
vous	tiend**rez**	vous	aurez	tenu
ils / elles	tiend**ront**	ils / elles	auront	tenu

SUBJONCTIF

Présent		**Passé**		
que je	tienn**e**	que j'	aie	tenu
que tu	tienn**es**	que tu	aies	tenu
qu'il / elle, on	tienn**e**	qu'il / elle, on	ait	tenu
que nous	ten**ions**	que nous	ayons	tenu
que vous	ten**iez**	que vous	ayez	tenu
qu'ils / elles	tienn**ent**	qu'ils / elles	aient	tenu

INFINITIF

Présent
ten**ir**

PARTICIPE

Présent
ten**ant**

Passé

ten**u**   ten**us**
ten**ue**   ten**ues**

IMPÉRATIF

Présent
tien**s**
ten**ons**
ten**ez**

Futur proche

je	vais	tenir
tu	vas	tenir
il / elle, on	va	tenir
nous	allons	tenir
vous	allez	tenir
ils / elles	vont	tenir

Valoir

INDICATIF

TEMPS SIMPLES		TEMPS COMPOSÉS		
Présent		**Passé composé**		
je	vau**x**	j'	ai	valu
tu	vau**x**	tu	as	valu
il / elle, on	vau**t**	il / elle, on	a	valu
nous	val**ons**	nous	avons	valu
vous	val**ez**	vous	avez	valu
ils / elles	val**ent**	ils / elles	ont	valu
Imparfait		**Plus-que-parfait**		
je	val**ais**	j'	avais	valu
tu	val**ais**	tu	avais	valu
il / elle, on	val**ait**	il / elle, on	avait	valu
nous	val**ions**	nous	avions	valu
vous	val**iez**	vous	aviez	valu
ils / elles	val**aient**	ils / elles	avaient	valu
Passé simple		**Passé antérieur**		
je	val**us**	j'	eus	valu
tu	val**us**	tu	eus	valu
il / elle, on	val**ut**	il / elle, on	eut	valu
nous	val**ûmes**	nous	eûmes	valu
vous	val**ûtes**	vous	eûtes	valu
ils / elles	val**urent**	ils / elles	eurent	valu
Conditionnel présent		**Conditionnel passé**		
je	vaud**rais**	j'	aurais	valu
tu	vaud**rais**	tu	aurais	valu
il / elle, on	vaud**rait**	il / elle, on	aurait	valu
nous	vaud**rions**	nous	aurions	valu
vous	vaud**riez**	vous	auriez	valu
ils / elles	vaud**raient**	ils / elles	auraient	valu
Futur simple		**Futur antérieur**		
je	vaud**rai**	j'	aurai	valu
tu	vaud**ras**	tu	auras	valu
il / elle, on	vaud**ra**	il / elle, on	aura	valu
nous	vaud**rons**	nous	aurons	valu
vous	vaud**rez**	vous	aurez	valu
ils / elles	vaud**ront**	ils / elles	auront	valu

INFINITIF

Présent
val**oir**

PARTICIPE

Présent
val**ant**

Passé

val**u**	val**us**
val**ue**	val**ues**

IMPÉRATIF

Présent
vau**x**
val**ons**
val**ez**

Futur proche

je	vais	valoir
tu	vas	valoir
il / elle, on	va	valoir
nous	allons	valoir
vous	allez	valoir
ils / elles	vont	valoir

SUBJONCTIF

Présent		**Passé**		
que je	vaill**e**	que j'	aie	valu
que tu	vaill**es**	que tu	aies	valu
qu'il / elle, on	vaill**e**	qu'il / elle, on	ait	valu
que nous	val**ions**	que nous	ayons	valu
que vous	val**iez**	que vous	ayez	valu
qu'ils / elles	vaill**ent**	qu'ils / elles	aient	valu

INDICATIF		Venir	56

INDICATIF

TEMPS SIMPLES	TEMPS COMPOSÉS

Présent
je	vien**s**
tu	vien**s**
il / elle, on	vien**t**
nous	ven**ons**
vous	ven**ez**
ils / elles	vien**nent**

Passé composé
je	suis	venu / venue
tu	es	venu / venue
il / elle, on	est	venu / venue
nous	sommes	venus / venues
vous	êtes	venus / venues
ils / elles	sont	venus / venues

Imparfait
je	ven**ais**
tu	ven**ais**
il / elle, on	ven**ait**
nous	ven**ions**
vous	ven**iez**
ils / elles	ven**aient**

Plus-que-parfait
j'	étais	venu / venue
tu	étais	venu / venue
il / elle, on	était	venu / venue
nous	étions	venus / venues
vous	étiez	venus / venues
ils / elles	étaient	venus / venues

Passé simple
je	v**ins**
tu	v**ins**
il / elle, on	v**int**
nous	v**înmes**
vous	v**întes**
ils / elles	v**inrent**

Passé antérieur
je	fus	venu / venue
tu	fus	venu / venue
il / elle, on	fut	venu / venue
nous	fûmes	venus / venues
vous	fûtes	venus / venues
ils / elles	furent	venus / venues

Conditionnel présent
je	viend**rais**
tu	viend**rais**
il / elle, on	viend**rait**
nous	viend**rions**
vous	viend**riez**
ils / elles	viend**raient**

Conditionnel passé
je	serais	venu / venue
tu	serais	venu / venue
il / elle, on	serait	venu / venue
nous	serions	venus / venues
vous	seriez	venus / venues
ils / elles	seraient	venus / venues

Futur simple
je	viend**rai**
tu	viend**ras**
il / elle, on	viend**ra**
nous	viend**rons**
vous	viend**rez**
ils / elles	viend**ront**

Futur antérieur
je	serai	venu / venue
tu	seras	venu / venue
il / elle, on	sera	venu / venue
nous	serons	venus / venues
vous	serez	venus / venues
ils / elles	seront	venus / venues

SUBJONCTIF

Présent
que je	vienn**e**
que tu	vienn**es**
qu'il / elle, on	vienn**e**
que nous	ven**ions**
que vous	ven**iez**
qu'ils / elles	vienn**ent**

Passé
que je	sois	venu / venue
que tu	sois	venu / venue
qu'il / elle, on	soit	venu / venue
que nous	soyons	venus / venues
que vous	soyez	venus / venues
qu'ils / elles	soient	venus / venues

Venir 56

Les verbes **devenir, parvenir** et **revenir** se conjuguent comme *venir*.

INFINITIF

Présent
ven**ir**

PARTICIPE

Présent
ven**ant**

Passé
| ven**u** | ven**us** |
| ven**ue** | ven**ues** |

IMPÉRATIF

Présent
viens
ven**ons**
ven**ez**

Futur proche
je	vais	venir
tu	vas	venir
il / elle, on	va	venir
nous	allons	venir
vous	allez	venir
ils / elles	vont	venir

INDICATIF

TEMPS SIMPLES		TEMPS COMPOSÉS		
Présent		**Passé composé**		
je	vête**s**	j'	ai	vêtu
tu	vête**s**	tu	as	vêtu
il/elle, on	vêt	il/elle, on	a	vêtu
nous	vêt**ons**	nous	avons	vêtu
vous	vêt**ez**	vous	avez	vêtu
ils/elles	vêt**ent**	ils/elles	ont	vêtu
Imparfait		**Plus-que-parfait**		
je	vêt**ais**	j'	avais	vêtu
tu	vêt**ais**	tu	avais	vêtu
il/elle, on	vêt**ait**	il/elle, on	avait	vêtu
nous	vêt**ions**	nous	avions	vêtu
vous	vêt**iez**	vous	aviez	vêtu
ils/elles	vêt**aient**	ils/elles	avaient	vêtu
Passé simple		**Passé antérieur**		
je	vêt**is**	j'	eus	vêtu
tu	vêt**is**	tu	eus	vêtu
il/elle, on	vêt**it**	il/elle, on	eut	vêtu
nous	vêt**îmes**	nous	eûmes	vêtu
vous	vêt**îtes**	vous	eûtes	vêtu
ils/elles	vêt**irent**	ils/elles	eurent	vêtu
Conditionnel présent		**Conditionnel passé**		
je	vêt**irais**	j'	aurais	vêtu
tu	vêt**irais**	tu	aurais	vêtu
il/elle, on	vêt**irait**	il/elle, on	aurait	vêtu
nous	vêt**irions**	nous	aurions	vêtu
vous	vêt**iriez**	vous	auriez	vêtu
ils/elles	vêt**iraient**	ils/elles	auraient	vêtu
Futur simple		**Futur antérieur**		
je	vêt**irai**	j'	aurai	vêtu
tu	vêt**iras**	tu	auras	vêtu
il/elle, on	vêt**ira**	il/elle, on	aura	vêtu
nous	vêt**irons**	nous	aurons	vêtu
vous	vêt**irez**	vous	aurez	vêtu
ils/elles	vêt**iront**	ils/elles	auront	vêtu

SUBJONCTIF

Présent		**Passé**		
que je	vêt**e**	que j'	aie	vêtu
que tu	vêt**es**	que tu	aies	vêtu
qu'il/elle, on	vêt**e**	qu'il/elle, on	ait	vêtu
que nous	vêt**ions**	que nous	ayons	vêtu
que vous	vêt**iez**	que vous	ayez	vêtu
qu'ils/elles	vêt**ent**	qu'ils/elles	aient	vêtu

INFINITIF

Présent
vêt**ir**

PARTICIPE

Présent
vêt**ant**

Passé
vêt**u**   vêt**us**
vêt**ue**   vêt**ues**

IMPÉRATIF

Présent
vêt**s**
vêt**ons**
vêt**ez**

Futur proche

je	vais	vêtir
tu	vas	vêtir
il/elle, on	va	vêtir
nous	allons	vêtir
vous	allez	vêtir
ils/elles	vont	vêtir

Vivre

58

INDICATIF		
TEMPS SIMPLES	**TEMPS COMPOSÉS**	

Présent		**Passé composé**		
je	vis	j'	ai	vécu
tu	vis	tu	as	vécu
il / elle, on	vit	il / elle, on	a	vécu
nous	vivons	nous	avons	vécu
vous	vivez	vous	avez	vécu
ils / elles	vivent	ils / elles	ont	vécu

Imparfait		**Plus-que-parfait**		
je	vivais	j'	avais	vécu
tu	vivais	tu	avais	vécu
il / elle, on	vivait	il / elle, on	avait	vécu
nous	vivions	nous	avions	vécu
vous	viviez	vous	aviez	vécu
ils / elles	vivaient	ils / elles	avaient	vécu

INFINITIF
Présent
vivre

Passé simple		**Passé antérieur**		
je	vécus	j'	eus	vécu
tu	vécus	tu	eus	vécu
il / elle, on	vécut	il / elle, on	eut	vécu
nous	vécûmes	nous	eûmes	vécu
vous	vécûtes	vous	eûtes	vécu
ils / elles	vécurent	ils / elles	eurent	vécu

PARTICIPE
Présent
vivant
Passé
vécu   vécus
vécue   vécues

Conditionnel présent		**Conditionnel passé**		
je	vivrais	j'	aurais	vécu
tu	vivrais	tu	aurais	vécu
il / elle, on	vivrait	il / elle, on	aurait	vécu
nous	vivrions	nous	aurions	vécu
vous	vivriez	vous	auriez	vécu
ils / elles	vivraient	ils / elles	auraient	vécu

IMPÉRATIF
Présent
vis
vivons
vivez

Futur simple		**Futur antérieur**			**Futur proche**		
je	vivrai	j'	aurai	vécu	je	vais	vivre
tu	vivras	tu	auras	vécu	tu	vas	vivre
il / elle, on	vivra	il / elle, on	aura	vécu	il / elle, on	va	vivre
nous	vivrons	nous	aurons	vécu	nous	allons	vivre
vous	vivrez	vous	aurez	vécu	vous	allez	vivre
ils / elles	vivront	ils / elles	auront	vécu	ils / elles	vont	vivre

SUBJONCTIF	

Présent		**Passé**		
que je	vive	que j'	aie	vécu
que tu	vives	que tu	aies	vécu
qu'il / elle, on	vive	qu'il / elle, on	ait	vécu
que nous	vivions	que nous	ayons	vécu
que vous	viviez	que vous	ayez	vécu
qu'ils / elles	vivent	qu'ils / elles	aient	vécu

Voir

Le verbe **revoir** se conjugue comme *voir*.

INDICATIF

TEMPS SIMPLES		TEMPS COMPOSÉS		
Présent		**Passé composé**		
je	vois	j'	ai	vu
tu	vois	tu	as	vu
il/elle, on	voit	il/elle, on	a	vu
nous	voyons	nous	avons	vu
vous	voyez	vous	avez	vu
ils/elles	voient	ils/elles	ont	vu
Imparfait		**Plus-que-parfait**		
je	voyais	j'	avais	vu
tu	voyais	tu	avais	vu
il/elle, on	voyait	il/elle, on	avait	vu
nous	voyions	nous	avions	vu
vous	voyiez	vous	aviez	vu
ils/elles	voyaient	ils/elles	avaient	vu
Passé simple		**Passé antérieur**		
je	vis	j'	eus	vu
tu	vis	tu	eus	vu
il/elle, on	vit	il/elle, on	eut	vu
nous	vîmes	nous	eûmes	vu
vous	vîtes	vous	eûtes	vu
ils/elles	virent	ils/elles	eurent	vu
Conditionnel présent		**Conditionnel passé**		
je	verrais	j'	aurais	vu
tu	verrais	tu	aurais	vu
il/elle, on	verrait	il/elle, on	aurait	vu
nous	verrions	nous	aurions	vu
vous	verriez	vous	auriez	vu
ils/elles	verraient	ils/elles	auraient	vu
Futur simple		**Futur antérieur**		
je	verrai	j'	aurai	vu
tu	verras	tu	auras	vu
il/elle, on	verra	il/elle, on	aura	vu
nous	verrons	nous	aurons	vu
vous	verrez	vous	aurez	vu
ils/elles	verront	ils/elles	auront	vu

SUBJONCTIF

Présent		**Passé**		
que je	voie	que j'	aie	vu
que tu	voies	que tu	aies	vu
qu'il/elle, on	voie	qu'il/elle, on	ait	vu
que nous	voyions	que nous	ayons	vu
que vous	voyiez	que vous	ayez	vu
qu'ils/elles	voient	qu'ils/elles	aient	vu

INFINITIF

Présent
voir

PARTICIPE

Présent
voyant

Passé

vu	vus
vue	vues

IMPÉRATIF

Présent
vois
voyons
voyez

Futur proche

je	vais	voir
tu	vas	voir
il/elle, on	va	voir
nous	allons	voir
vous	allez	voir
ils/elles	vont	voir

Vouloir 60

INDICATIF

TEMPS SIMPLES		TEMPS COMPOSÉS		
Présent		**Passé composé**		
je	veu**x**	j'	ai	voulu
tu	veu**x**	tu	as	voulu
il / elle, on	veu**t**	il / elle, on	a	voulu
nous	voul**ons**	nous	avons	voulu
vous	voul**ez**	vous	avez	voulu
ils / elles	veul**ent**	ils / elles	ont	voulu
Imparfait		**Plus-que-parfait**		
je	voul**ais**	j'	avais	voulu
tu	voul**ais**	tu	avais	voulu
il / elle, on	voul**ait**	il / elle, on	avait	voulu
nous	voul**ions**	nous	avions	voulu
vous	voul**iez**	vous	aviez	voulu
ils / elles	voul**aient**	ils / elles	avaient	voulu
Passé simple		**Passé antérieur**		
je	voul**us**	j'	eus	voulu
tu	voul**us**	tu	eus	voulu
il / elle, on	voul**ut**	il / elle, on	eut	voulu
nous	voul**ûmes**	nous	eûmes	voulu
vous	voul**ûtes**	vous	eûtes	voulu
ils / elles	voul**urent**	ils / elles	eurent	voulu
Conditionnel présent		**Conditionnel passé**		
je	voud**rais**	j'	aurais	voulu
tu	voud**rais**	tu	aurais	voulu
il / elle, on	voud**rait**	il / elle, on	aurait	voulu
nous	voud**rions**	nous	aurions	voulu
vous	voud**riez**	vous	auriez	voulu
ils / elles	voud**raient**	ils / elles	auraient	voulu

Futur simple		**Futur antérieur**			**Futur proche**		
je	voud**rai**	j'	aurai	voulu	je	vais	vouloir
tu	voud**ras**	tu	auras	voulu	tu	vas	vouloir
il / elle, on	voud**ra**	il / elle, on	aura	voulu	il / elle, on	va	vouloir
nous	voud**rons**	nous	aurons	voulu	nous	allons	vouloir
vous	voud**rez**	vous	aurez	voulu	vous	allez	vouloir
ils / elles	voud**ront**	ils / elles	auront	voulu	ils / elles	vont	vouloir

INFINITIF

Présent
voul**oir**

PARTICIPE

Présent
voul**ant**

Passé

voul**u**	voul**us**
voul**ue**	voul**ues**

IMPÉRATIF

Présent
veuill**e** (veu**x**)
— (voul**ons**)
veuill**ez** (voul**ez**)

SUBJONCTIF

Présent		**Passé**		
que je	veuill**e**	que j'	aie	voulu
que tu	veuill**es**	que tu	aies	voulu
qu'il / elle, on	veuill**e**	qu'il / elle, on	ait	voulu
que nous	voul**ions**	que nous	ayons	voulu
que vous	voul**iez**	que vous	ayez	voulu
qu'ils / elles	veuill**ent**	qu'ils / elles	aient	voulu

9. Manipulations syntaxiques

Les manipulations syntaxiques sont l'ajout, le déplacement, l'effacement, l'encadrement et le remplacement.

Voici les principales raisons pour lesquelles on se sert de chacune des cinq manipulations syntaxiques.

9.1 L'ajout

Pourquoi on fait un ajout	Ce que l'on ajoute	Exemples
Pour faire une phrase interrogative	Une expression interrogative	*Tu aimerais aller au zoo.* ⇒ ***Est-ce que** tu aimerais aller au zoo ?*
Pour faire une phrase exclamative	Un mot exclamatif	*Roman est bon joueur.* ⇒ ***Que** Roman est bon joueur !*
Pour enrichir une phrase, en donnant plus d'information	Un ou des adjectifs, par exemple	*L'oiseau a fait son nid.* ⇒ *L'oiseau **bleu** a fait son nid **douillet**.*

9.2 Le déplacement

Pourquoi on fait un déplacement	Ce que l'on déplace	Exemple
Pour faire une phrase interrogative	Le pronom sujet	***Tu** es allergique aux arachides.* ⇒ *Es-**tu** allergique aux arachides ?*

9.3 L'effacement

Pourquoi on fait un effacement	Ce que l'on efface	Exemple
Pour repérer le noyau d'un GN	Les autres mots du GN (sauf le déterminant)	*L'arbre de ta sœur est en fleurs.* ⫸ *L'**arbre*** ✕ *est en fleurs.*

9.4 L'encadrement

Pourquoi on fait un encadrement	Ce que l'on encadre	Exemples
Pour repérer le sujet afin d'accorder le verbe	Le sujet par *C'est… qui* ou *Ce sont… qui*	***Li*** *vous parle du club de tennis.* ⫸ ***C'est*** *Li **qui** vous a parle du club de tennis.*
Pour repérer le verbe conjugué	Le verbe par *ne… pas*	*Sarah **fête** son succès.* ⫸ *Sarah **ne** fête **pas** son succès.*

9.5 Le remplacement

Pourquoi on fait un remplacement	Ce que l'on remplace	Exemples
Pour vérifier la classe des mots	Par exemple, un déterminant par un autre déterminant	*Paolo a **plusieurs** jouets à donner.* ⫸ *Paolo a **des** jouets à donner.*
Pour repérer le sujet afin d'accorder le verbe	Le GN sujet par *il, elle, ils* ou *elles*	***Les filles de la classe*** *chantent en chœur.* ⫸ ***Elles** chant**ent** en chœur.*
Pour ne pas répéter les mêmes mots dans un texte	Un mot ou un groupe de mots par un pronom	***Le vieux chêne*** *donnait de l'ombre. **Il** devait mesurer plusieurs mètres de haut.*

Index

Les nombres renvoient aux pages de la grammaire. Lorsque ces nombres sont en **gras,** cela indique à quel endroit la notion y est expliquée.

• • •

• • •

(SUITE)

Mots-clés	Notions	Comment repérer...	Accords	Je révise	Annexes
Mots substituts	**144-147**			147	
Groupes de mots	**147**				
Pronoms	**145**				271
Synonymes	**146**				182-189
Mots-valises	**59**			60	
Nom	**18-26**	20	19	27	
commun	**21**				
Formation du féminin des noms	**24-25**				
Formation du pluriel des noms	**26**				
Genre	**23**				
Nombre	**26**				
propre	**22**				
Noyau					
du groupe du nom	**72**			75	
du groupe du verbe	**77-78**			79	
Participe passé	**92**		72	99	202, 210-269
Participe présent	**91**			99	210-269
Passé composé	**94**			99	210-269
Phrase	**102-105, 107-112**				203
Construction	**103**			106	
de forme négative	**112**			113	
de forme positive	**112**				
déclarative	**108**			113	
exclamative	**110**			113	
Groupe du verbe	**105**			106	
Groupe sujet	**103-104**			106	
impérative	**111**			113	
interrogative	**109**			113	
Plan du texte courant	**141**			143	
Planification d'un texte	**137**			143	

• • •

(SUITE)

Analyse d'une phrase (P)

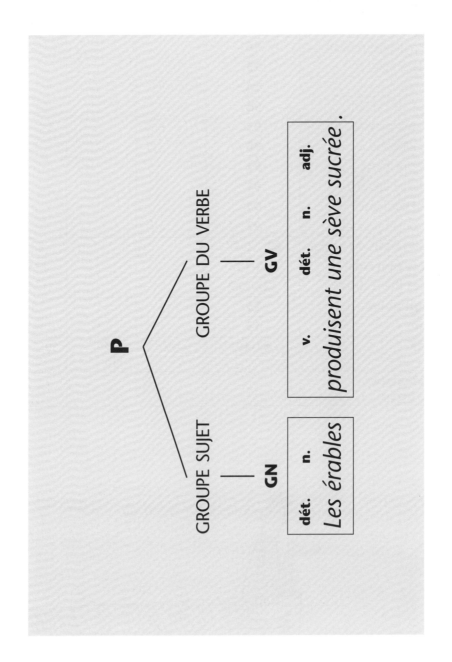